#국어성취도평가
#실전모의고사

HME
국어 학력평가

Chunjae
Maketh
Chunjae

▼

HME 국어 학력평가 6학년

편집개발	김동렬, 원명희, 김한나, 김주남, 안정아
디자인총괄	김희정
표지디자인	윤순미, 강태원, 김지현
내지디자인	박희춘, 이혜진, 배미현
제작	황성진, 조규영

발행일	2021년 8월 1일 초판 2022년 8월 1일 2쇄
발행인	(주)천재교육
주소	서울시 금천구 가산로9길 54
신고번호	제2001-000018호
고객센터	1577-0902
교재 구입문의	1588-5566

HME 국어 학력평가

HME 국어 학력평가는 초등 국정 교과서를 집필하시는 교수 분들을 중심으로

〈초등 국어 학력평가 문항 개발 연구 위원회〉가 평가 문항을 개발하고

천재교육에서 평가를 주관하는 종합 국어 능력 측정 시험입니다.

초등 국어 학력평가 문항 개발 연구 위원회

- **책임 연구원** 이경화(한국교원대 교수)
- **공동 연구원** 최규홍(진주교대 교수), 김상한(한국교원대 교수), 김혜선, 최종윤, 박혜림(한국교원대 교수)
- **출제진** 초등국어교육 박사
  최종윤, 송민주, 신윤경, 천효정, 박혜림, 안부영, 이근영, 신선희, 김혜선, 하근회, 김지영, 최규홍, 김상한

  초등국어교육 박사 과정
  진솔, 김정은, 장동민, 김은지

  초등국어교육 석사
  김은선, 김미애, 이영신, 김문화

- **검토진** 교수
  이수진, 전제응, 이창근, 이경남, 최민영, 김태호

  초등국어교육 전공 박사 과정
  백희정, 배재훈

국어 기초 능력 평가
국어 학습의 기반이 되는
국어 기초 능력을
측정합니다.

독해력 평가
국어 능력의 중요 요소인
독해력을 각 세부 영역별로
측정합니다.

교과 과정 성취도 평가
각 학년별 국어 교과
과정의 주요 성취 기준
도달도를 측정합니다.

HME 국어 학력평가

전국 석차 제시
전체 수험자의 평가 값을
백분위화하여 자신의 국어
능력치를 객관적으로
확인할 수 있습니다.

통합사고력 평가
사고력, 창의력,
문제해결력의 척도를
측정합니다.

종합 국어 능력 수준 5단계 측정

성적	수준 구분	백분위
최우수	기대 성취도 이상의 국어 활용 능력을 보이며 통합 사고력 및 심화 독해력까지 매우 뛰어난 수준임.	1~10% 내외
우수	기대 성취도 이상의 국어 활용 능력을 보이며 통합 사고력 및 심화 독해력이 우수한 수준임.	11~20% 내외
보통	해당 학년의 기대 성취도에 부합하는 국어 구사 능력을 보임.	21~35% 내외
기초	해당 학년에 필수적인 국어 활용 능력을 갖추고 있으나 노력이 필요함.	36~50% 내외
노력	해당 학년에 필수적인 국어 활용 능력에 미달. 독해, 어휘, 문법 등 기초 국어 학습이 필요함.	51% 이하

※성적 측정 백분위는 학년별, 연도별로 기준치가 달라집니다.

대영역	중영역
듣기·말하기	사실, 추론, 비판·감상, 생성·조직
읽기	내용 확인, 평가·감상, 추론
쓰기	내용 생성, 내용 조직, 표현·고쳐쓰기
문법	문장·담화, 발음·표기·규범, 한글 체계
문학	지식, 수용과 생산
어휘	개념, 관계, 의미·확장

평가 영역

종합 독해력 5단계 측정

HME 국어 학력평가에서 독해력 측정에 필요한 평가 요소를 세부 영역별로 분석하여 학생의 독해력 수준과 지도 방향을 제시합니다.

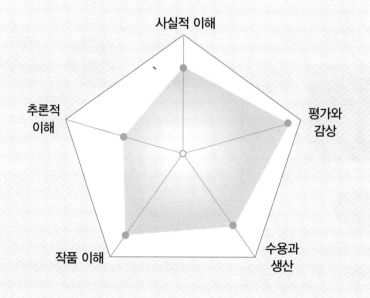

독해력 총점	45점 / 55점

독해의 유형을 다섯 가지 세부 영역으로 구분하여 나에게 익숙한 독서 방법과 보충해야 할 독해 방법을 안내합니다.

> 지도 방향 예
> 말이나 글에서 직접 명시되지 않은 정보를 논리적으로 미루어 생각하는 데 익숙하지 않습니다. 글이나 문장의 관계를 파악하며 읽는 연습을 해 보세요.

HME 국어 학력평가 교재 구성

ⓐ 평가 영역 분석

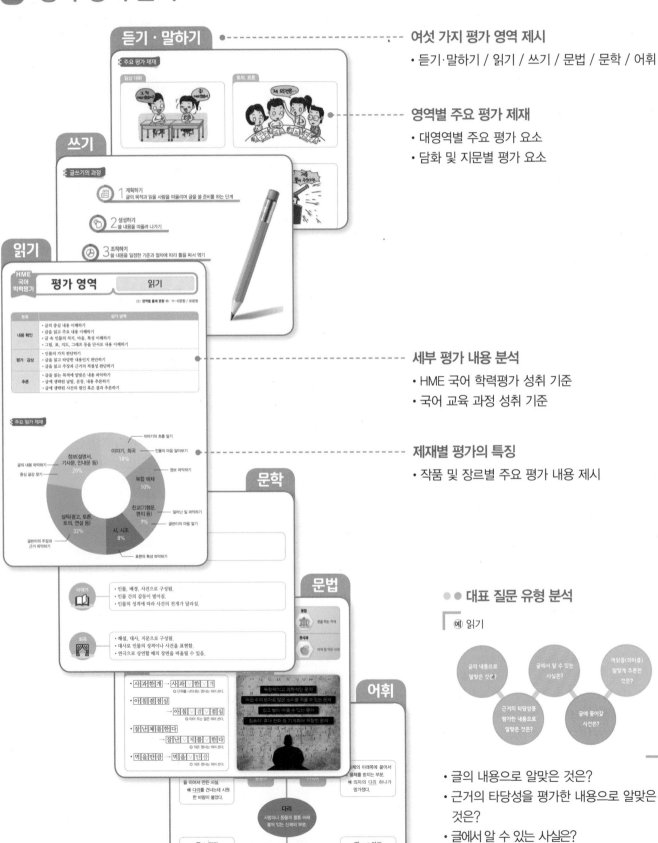

여섯 가지 평가 영역 제시
• 듣기·말하기 / 읽기 / 쓰기 / 문법 / 문학 / 어휘

영역별 주요 평가 제재
• 대영역별 주요 평가 요소
• 담화 및 지문별 평가 요소

세부 평가 내용 분석
• HME 국어 학력평가 성취 기준
• 국어 교육 과정 성취 기준

제재별 평가의 특징
• 작품 및 장르별 주요 평가 내용 제시

●● 대표 질문 유형 분석

예 읽기

• 글의 내용으로 알맞은 것은?
• 근거의 타당성을 평가한 내용으로 알맞은 것은?
• 글에서 알 수 있는 사실은?
• 글에 들어갈 사건은?
• 까닭을(의미를) 알맞게 추론한 것은?

대표 유형 문제

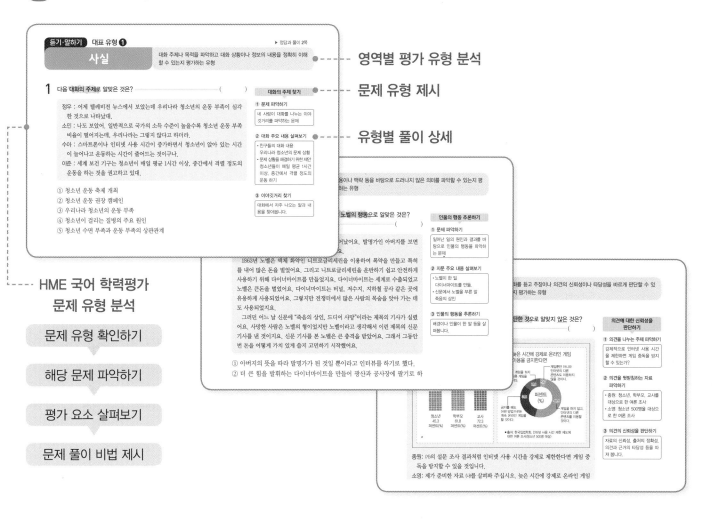

영역별 평가 유형 분석

문제 유형 제시

유형별 풀이 상세

HME 국어 학력평가
문제 유형 분석

문제 유형 확인하기

해당 문제 파악하기

평가 요소 살펴보기

문제 풀이 비법 제시

실전 모의고사 4회 제공

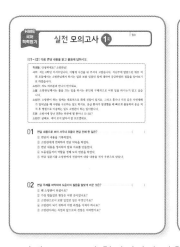

- 실제 HME 국어 학력평가와 같은 구성의 실전 모의고사
- 실제 HME 국어 학력평가와 유사한 난이도 구성

HME 국어 학력평가 차례

HME 국어 학력평가

평가 영역
+
대표 유형 문제

• 평가 영역별 출제 유형 분석
• 출제 유형별 문제 해결 과정 제시

평가 영역

듣기·말하기

🔗 **영역별 출제 문항 수:** 3~4문항 / 30문항

분류	평가 영역
사실	• 대화의 주제나 목적 파악하기 • 대화에서 중요한 내용 이해하기 • 지시하거나 가리키는 대상 파악하기
추론	• 대화에서 이어질 내용 예측하기 • 표정, 몸짓, 말투의 의미 짐작하기 • 대화의 앞뒤 관계에서 직접 드러나지 않은 내용 파악하기
비판·감상	• 원인과 결과를 파악하며 듣고 말하기 • 주장과 근거를 파악하며 듣고 말하기 • 대화의 맥락에 알맞은 반응 보이기
생성·조직	• 화제에 맞게 대화 내용 이어 가기 • 적절한 표현 수단을 활용하여 대화하기

📘 주요 평가 제재

일상 대화

토의, 토론

면담

강연, 연설

평가의 목적

이 유형의 문항은 듣고 말하는 여러 가지 상황에서 상대가 전하고자 하는 정보를 정확히 파악하고 나의 의도를 상대에게 분명히 전할 수 있는지를 평가하기 위해 출제됩니다.

대화는 듣기, 말하기를 통해 상대와 정보, 감정, 의견 등을 함께 나누는 활동입니다. 글을 읽고 쓰는 것과는 달리, 대화는 표정, 몸짓, 말투 등 비언어적 요소와 대화를 나누는 상황에 따라 그 의미와 해석이 달라지기도 합니다.

듣기·말하기 평가 영역에서는 이러한 대화의 특성을 이해하고 여러 가지 상황에서 효과적으로 국어를 구사할 수 있는지 평가하게 됩니다. 특히 초등 6학년 듣기·말하기 에는 **의견이나 주장의 내용과 타당성을 평가하는 문제, 주제나 의도를 묻는 문제**가 자주 출제됩니다.

대표 질문 유형

- 대화의 주제로 알맞은 것은?
- 이어질 인물의 행동으로 알맞은 것은?
- 의견에 대한 신뢰성을 알맞게 판단한 것은?
- 이야기에 들어갈 내용으로 알맞은 것은?
- 발표 내용의 짜임과 비슷한 짜임으로 조직할 수 있는 주제는?

주요 평가 요소

- 대화의 의도나 주제를 알고 있는가?
- 상대의 상황과 처지를 이해할 수 있는가?
- 상황에 적절한 말을 주고받을 수 있는가?
- 말하는 사람의 생각을 파악할 수 있는가?
- 의도에 알맞은 대화 내용을 구성할 수 있는가?

사실

대화 주제나 목적을 파악하고 대화 상황이나 정보의 내용을 정확히 이해할 수 있는지 평가하는 유형

1 다음 **대화의 주제**로 알맞은 것은? ⋯⋯⋯⋯⋯⋯⋯⋯⋯⋯⋯⋯⋯⋯ (　　　)

> 정우 : 어제 텔레비전 뉴스에서 보았는데 우리나라 청소년의 운동 부족이 심각한 것으로 나타났대.
>
> 소민 : 나도 보았어. 일반적으로 국가의 소득 수준이 높을수록 청소년 운동 부족 비율이 떨어지는데, 우리나라는 그렇지 않다고 하더라.
>
> 수아 : 스마트폰이나 인터넷 사용 시간이 증가하면서 청소년이 앉아 있는 시간이 늘어나고 운동하는 시간이 줄어드는 것이구나.
>
> 이준 : 세계 보건 기구는 청소년이 매일 평균 1시간 이상, 중간에서 격렬 정도의 운동을 하는 것을 권고하고 있대.

① 청소년 운동 축제 개최
② 청소년 운동 권장 캠페인
③ 우리나라 청소년의 운동 부족
④ 청소년이 걸리는 질병의 주요 원인
⑤ 청소년 수면 부족과 운동 부족의 상관관계

> **대화의 주제 찾기**
>
> **1 문제 파악하기**
> 네 사람이 대화를 나누는 이야깃거리를 파악하는 문제
>
> **2 대화 주요 내용 살펴보기**
> • 친구들의 대화 내용
> 우리나라 청소년의 문제 상황
> • 문제 상황을 해결하기 위한 제안
> 청소년들이 매일 평균 1시간 이상, 중간에서 격렬 정도의 운동 하기
>
> **3 이야깃거리 찾기**
> 대화에서 자주 나오는 말과 내용을 찾아봅니다.

2 **문제 1의 대화**를 읽고 **알 수 있는 사실**로 알맞은 것은? ⋯⋯⋯⋯⋯⋯ (　　　)
① 청소년기의 운동 습관은 만성 질환을 예방해 준다.
② 우리나라 남녀 청소년의 운동 부족 비율이 큰 격차를 보인다.
③ 우리나라는 국민 소득은 높은데 청소년 운동 부족이 심각하다.
④ 운동 기회가 부족한 청소년들이 운동의 가치에 대해 깨달아야 한다.
⑤ 우리나라 청소년의 운동량이 세계 보건 기구의 권고 수준에 미치고 있다.

> **대화에서 알 수 있는 사실 파악하기**
>
> ● 국가의 소득 수준과 청소년 운동 부족 비율의 관계
> ● 청소년 운동 부족의 원인
> ● 청소년 운동 부족의 해결 방안

3 **문제 1의 대화**에서 청소년 운동 부족의 **원인**으로 꼽은 것은? ⋯⋯ (　　　)
① 탈의실 시설 부족
② 비만 청소년의 증가
③ 국가의 소득 수준 저하
④ 입시 제도의 잦은 변화
⑤ 스마트폰이나 인터넷 사용 시간의 증가

추론

내용이나 맥락 등을 바탕으로 드러니지 않은 의미를 파악할 수 있는지 평가하는 유형

4 다음 들려주는 이야기의 흐름으로 볼 때 **이어질 노벨의 행동으로 알맞은 것은?**
(   )

> 알프레드 노벨은 1833년에 스웨덴에서 태어났어요. 발명가인 아버지를 보면서 노벨은 어려서부터 발명가의 꿈을 꾸었지요.
>
> 1863년 노벨은 액체 화약인 니트로글리세린을 이용하여 폭약을 만들고 특허를 내어 많은 돈을 벌었어요. 그리고 니트로글리세린을 운반하기 쉽고 안전하게 사용하기 위해 다이너마이트를 만들었지요. 다이너마이트는 세계로 수출되었고 노벨은 큰돈을 벌었어요. 다이너마이트는 터널, 저수지, 지하철 공사 같은 곳에 유용하게 사용되었어요. 그렇지만 전쟁터에서 많은 사람의 목숨을 앗아 가는 데도 사용되었지요.
>
> 그러던 어느 날 신문에 "죽음의 상인, 드디어 사망"이라는 제목의 기사가 실렸어요. 사망한 사람은 노벨의 형이었지만 노벨이라고 생각해서 이런 제목의 신문 기사를 낸 것이지요. 신문 기사를 본 노벨은 큰 충격을 받았어요. 그래서 그동안 번 돈을 어떻게 가치 있게 쓸지 고민하기 시작했어요.

① 아버지의 뜻을 따라 발명가가 된 것일 뿐이라고 인터뷰를 하기로 했다.

② 더 큰 힘을 발휘하는 다이너마이트을 만들어 광산과 공사장에 팔기로 하였다.

③ 신문사에 자신이 죽은 것이 아니라 형이 죽은 것이라는 기사를 내 달라고 하였다.

④ 자신이 만든 다이너마이트가 더 잘 팔리도록 신문에 큰 광고를 내기로 하였다.

⑤ 지금까지 번 돈을 기부하여 문명의 발달과 인류 복지에 이바지한 사람에게 상을 주기로 하였다.

인물의 행동 추론하기

1 문제 파악하기

일어난 일의 원인과 결과를 바탕으로 인물의 행동을 파악하는 문제

2 지문 주요 내용 살펴보기

• 노벨이 한 일
  다이너마이트를 만듦.
• 신문에서 노벨을 부른 말
  죽음의 상인

3 인물의 행동을 추론하기

배경이나 인물이 한 말 등을 살펴봅니다.

5 문제 4 이야기 의 신문 기사에서 **노벨을 '죽음의 상인'이라고 한 까닭은?**
(   )

① 스웨덴 정부가 노벨에게 벌을 주었기 때문이다.

② 노벨이 다이너마이트를 팔아 상을 받았기 때문이다.

③ 다이너마이트가 전쟁에서 폭탄으로 사용되었기 때문이다.

④ 다이너마이트를 발명할 때 직원들이 목숨을 잃었기 때문이다.

⑤ 다이너마이트를 만들 때 많은 공해 물질이 발생하기 때문이다.

담화의 맥락 추론하기

● 노벨이 발명한 것 알기
● 노벨이 발명한 것의 좋은 쓰임과 나쁜 쓰임 파악하기

비판 · 감상

담화를 듣고 주장이나 의견의 신뢰성이나 타당성을 바르게 판단할 수 있는지 평가하는 유형

6 다음 자료와 발표자의 **의견에 대한 신뢰성을 판단한 것으로 알맞지 <u>않은</u> 것은?**

(   )

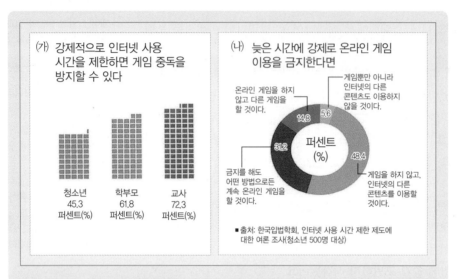

(가) 강제적으로 인터넷 사용 시간을 제한하면 게임 중독을 방지할 수 있다

청소년 45.3 퍼센트(%)
학부모 61.8 퍼센트(%)
교사 72.3 퍼센트(%)

(나) 늦은 시간에 강제로 온라인 게임 이용을 금지한다면

온라인 게임을 하지 않고 다른 게임을 할 것이다. 14.8
게임뿐만 아니라 인터넷의 다른 콘텐츠도 이용하지 않을 것이다. 5.6
금지를 해도 어떤 방법으로든 계속 온라인 게임을 할 것이다. 31.2
게임을 하지 않고, 인터넷의 다른 콘텐츠를 이용할 것이다. 48.4

퍼센트(%)

■ 출처: 한국입법학회, 인터넷 사용 시간 제한 제도에 대한 여론 조사(청소년 500명 대상)

종원: ㈎의 설문 조사 결과처럼 인터넷 사용 시간을 강제로 제한한다면 게임 중독을 방지할 수 있을 것입니다.

소영: 제가 준비한 자료 ㈏를 살펴봐 주십시오. 늦은 시간에 강제로 온라인 게임 이용을 금지하면 어떻게 될 것인지 묻는 질문에서 청소년 500명 중 약 50퍼센트가 '게임은 하지 않지만 인터넷의 다른 콘텐츠를 이용할 것'이라고 했습니다. 더욱이 약 30퍼센트의 학생은 '어떤 방법으로든 계속 온라인 게임을 할 것'이라고 답하였습니다. 제 경험을 살려 예상해 볼 때, 이럴 경우 학생들은 불법 게임 사이트에 접속하게 될 가능성도 있어 그 심각성은 더욱 큽니다.

① 도희: ㈎는 출처를 밝히지 않아서 결과를 신뢰하기 어려워.
② 민주: ㈎는 각 대상을 몇 명씩 조사한 것인지 알 수 없어서 자료의 정확성이 부족해 보여.
③ 윤준: ㈎는 인터넷 사용 시간 제한에 대해 대부분의 청소년, 학부모, 교사가 찬성한다는 자료여서 종원이의 주장을 잘 뒷받침하고 있어.
④ 지우: 자료 ㈏는 출처를 명확히 제시하였고, 몇 명을 대상으로 한 설문 조사인지도 분명히 밝혀서 ㈎에 비해 자료의 신뢰성은 더욱 높아 보여.
⑤ 상철: 늦은 시간에 강제로 온라인 게임 이용을 금지할 때 더 나쁜 결과를 초래할 수 있음을 보여 주는 자료 ㈏가 소영이의 주장을 잘 뒷받침하고 있어.

의견에 대한 신뢰성을 판단하기

1 의견을 나누는 주제 파악하기

강제적으로 인터넷 사용 시간을 제한하면 게임 중독을 방지할 수 있는가?

2 의견을 뒷받침하는 자료 파악하기

• 종원: 청소년, 학부모, 교사를 대상으로 한 여론 조사
• 소영: 청소년 500명을 대상으로 한 여론 조사

3 의견의 신뢰성을 판단하기

자료의 신뢰성, 출처의 정확성, 의견과 근거의 타당성 등을 따져 봅니다.

생성 · 조직

주제와 관련하여 말할 내용을 떠올리거나 말할 내용을 일정한 기준이나 절차에 따라 엮을 수 있는지 평가하는 유형

7 다음 발표의 □□□ 안에 들어갈 내용으로 알맞은 것은? ·············· ( )

> 해미 읍성은 고창 읍성, 낙안 읍성과 함께 조선 시대 대표적인 읍성 중의 하나이다.
>
> 해미 읍성의 남문이자 정문인 진남문은 예전 모습 그대로 남아 있어 역사적 가치가 있다. 성문은 화강석으로 만들어져 있고 무지개 모양이다.
>
> 진남문에서 성 안으로 들어가면 300년이 넘은 회화나무가 있다. 대원군 때 천주교인들을 이 나무에 묶어서 고문하였다고 한다.
>
> 회화나무에서 조금 걸어가면 옥사가 나온다. 해미 읍성의 옥사는 천주교인들을 가두고 문초하였던 곳이다. 각각 정면 세 칸 건물로, 남녀의 옥사가 구분되어 있다.
>
> 성 북쪽에는 동헌이 있다. [   ]

① 해미 읍성은 충청남도 서산시에 있다.
② 읍성은 주민들의 생활 중심지가 되었다.
③ 동헌은 고을 수령을 비롯한 관리들이 일을 보거나 재판을 하던 곳이다.
④ 해미 읍성은 1973년도에 복원 사업을 실시하여 안에 있던 민가와 학교를 철거하였다고 한다.
⑤ 읍성은 주민의 주거 지역에 설치되어 지역을 방어하고, 읍성 안에는 행정 기관들이 설치되어 있었다.

발표 내용 생성하기

1 이어질 내용 파악하기

글의 짜임을 파악하여 이어질 내용을 묻는 문제

2 글의 내용 파악하기

해미 읍성에서 장소를 이동한 차례: 진남문 → 회화나무 → 옥사

3 글에 들어갈 내용을 파악하기

글을 구성한 원리를 파악하여 어떤 내용이 이어져야 자연스러울지 판단합니다.

8 (문제 **7** 발표)의 짜임과 비슷한 짜임으로 조직할 수 있는 것은? ········· ( )
① 개미귀신의 특징
② 짝의 얼굴 생김새
③ 공룡이 멸종된 까닭
④ 부산에서 가 볼 만한 곳
⑤ 지구 온난화의 원인과 해결 방법

담화의 짜임 파악하기

- 그림을 그리듯이 생생하게 표현하면 좋은 이야깃거리 찾기
- 원인과 결과의 짜임으로 구성하면 효과적인 이야깃거리 찾기
- 장소의 바뀜에 따라 늘어놓으면 효과적인 이야깃거리 찾기

분류	평가 영역
내용 확인	• 글의 중심 내용 이해하기 • 글을 읽고 주요 내용 이해하기 • 글 속 인물의 처지, 마음, 특성 이해하기 • 그림, 표, 지도, 그래프 등을 단서로 내용 이해하기
평가 · 감상	• 인물의 가치 판단하기 • 글을 읽고 타당한 내용인지 판단하기 • 글을 읽고 주장과 근거의 적절성 판단하기
추론	• 글을 읽는 목적에 알맞은 내용 파악하기 • 글에 생략된 낱말, 문장, 내용 추론하기 • 글에 생략된 사건의 원인 혹은 결과 추론하기

주요 평가 제재

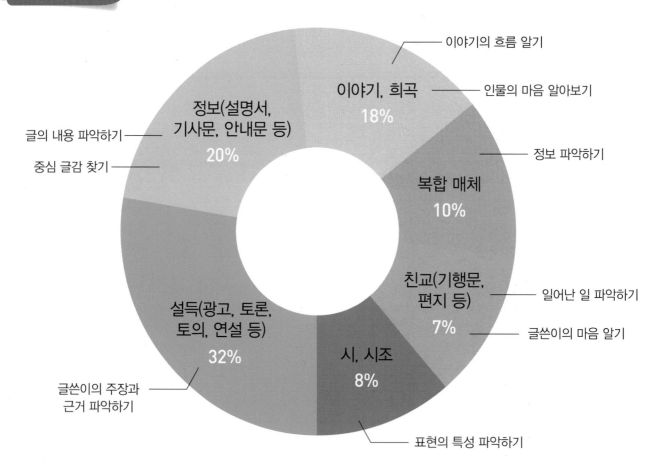

이야기의 흐름 알기

이야기, 희곡
18%

인물의 마음 알아보기

정보(설명서,
기사문, 안내문 등)
20%

글의 내용 파악하기

중심 글감 찾기

정보 파악하기

복합 매체
10%

친교(기행문,
편지 등)
7%

일어난 일 파악하기

글쓴이의 마음 알기

설득(광고, 토론,
토의, 연설 등)
32%

글쓴이의 주장과
근거 파악하기

시, 시조
8%

표현의 특성 파악하기

📖 평가의 목적

이 유형의 문항은 제시된 글을 읽고 글의 내용을 정확히 파악하여 이를 자신의 지식으로 쌓을 수 있는지를 평가하기 위해 출제됩니다.

[읽기]는 글로 표현된 정보와 생각을 나의 경험과 지식을 바탕으로 이해하고 이를 다시 나의 경험과 지식으로 되쌓는 활동입니다. 글의 종류나 글을 읽는 목적에 따라 다양한 유형의 읽기 방법이 있고 거기서 쌓게 되는 지식의 유형도 다양합니다.

초등 6학년 [읽기] 영역에서는 내용을 파악하고 이를 체계화하여 습득하는 활동이 이루어집니다. **글의 짜임에 따라 중심 내용을 이해할 수 있는지, 글의 주장과 근거를 구분하고 타당성을 파악할 수 있는지, 글에 직접 드러나지 않은 내용을 추론할 수 있는지 등을 평가하는 문제**가 자주 출제됩니다.

글을 읽을 때 일부분의 내용에 집중하기보다는 글 전체에서 해당 부분이 어떤 역할을 하고 왜 문단이 나뉘었는지 전체적인 짜임을 생각하며 읽는 연습이 필요합니다.

📖 대표 질문 유형

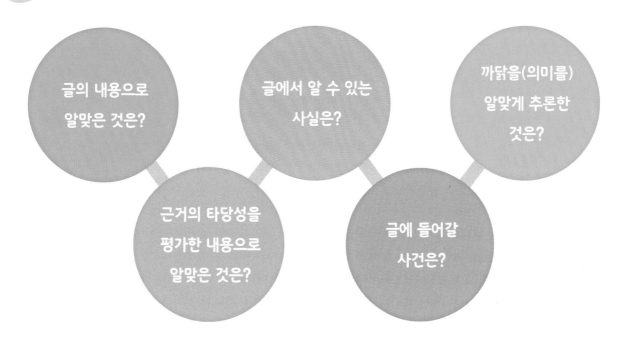

글의 내용으로 알맞은 것은?

글에서 알 수 있는 사실은?

까닭을(의미를) 알맞게 추론한 것은?

근거의 타당성을 평가한 내용으로 알맞은 것은?

글에 들어갈 사건은?

📖 주요 평가 요소

| 글의 중심 내용을 파악하며 읽을 수 있는가? | 읽는 목적에 따라 중요한 내용을 찾을 수 있는가? | 글의 구조나 짜임을 이해하고 있는가? | 주장과 근거가 적절한지 판단할 수 있는가? | 드러나지 않은 내용이나 결과를 짐작할 수 있는가? |

내용 확인

여러 종류의 자료를 읽고 내용을 정확히 파악할 수 있는지 평가하는 유형

1 다음 글의 내용으로 알맞은 것은? ⋯⋯⋯⋯⋯⋯⋯⋯⋯⋯⋯⋯⋯⋯⋯ (　　　　)

　　사람들은 일하거나 공부할 때 얼마나 주의를 집중할까? 지금 현재 자신이 하고 있는 일이나 공부에 집중하지 못하고 주의가 산만한 상태를 '마음의 방황'이라고 한다. 매트 킬링스워스 교수는 사람들이 일상생활에서 자신이 하고 있는 일에 얼마나 집중하지 못하고 '마음의 방황'을 경험하고 있는지, 또한 그때의 사람들의 기분 상태는 어떠한지 알아보기 위해 다음과 같은 실험을 진행하였다. 먼저 실험 대상자 2250명을 선정하였고 이들 모두의 스마트폰에 실험을 위한 애플리케이션을 설치하도록 하였다. 그리고 사람들이 공부를 하거나 직장에서 일을 하는 동안 아무 때나 스마트폰으로 신호를 주었고 실험 대상자들은 애플리케이션에 현재 자신의 상태 즉, 집중 혹은 '마음의 방황' 여부와 기분 상태에 대하여 답하였다.

　　실험 결과는 약 47퍼센트의 사람들이 신호를 받았을 때 자신이 '마음의 방황' 상태에 있다고 대답하였고, '마음의 방황' 상태에 있다고 대답한 사람들 중에 많은 사람들이 기분이 좋지 않은 상태라고 답하였다. 매트 킬링스워스 교수는 그 이유에 대해 사람들이 '마음의 방황' 중에는 대부분 과거의 불쾌했던 기억을 떠올리거나 미래에 대한 걱정을 하기 때문이라고 말했다. 예를 들어 과거에 친구에게 들은 나쁜 말에 대한 기억, 친구들과 사이가 나빠질까 봐 걱정하는 마음과 같이 현재는 아무렇지 않은데 괜히 과거의 불쾌했던 기억과 미래에 일어나지도 않은 일에 대한 걱정으로 스트레스를 받는다. 반면에 실험에서 사람들은 현재 자기가 하고 있는 일에 집중하고 있을 때 더 행복감을 느꼈다.

　　이 실험 결과는 우리가 과거의 불쾌한 경험과 발생하지 않은 미래의 일에 대한 괜한 걱정으로 우리의 몸과 마음을 병들게 하지 않고 행복감을 느끼며 살기 위해서는 어떤 노력을 해야 하는지를 보여 준다.

① '마음의 방황' 상태에 있을 때에는 행복감을 느낀다.
② 휴식을 충분히 하면 '마음의 방황' 상태에 빠지지 않는다.
③ '마음의 방황' 상태에 있는 다수는 미래에 대한 걱정을 한다.
④ '마음의 방황' 상태의 순기능은 과거의 잘못한 일에 대한 반성을 한다는 것이다.
⑤ 발생하지 않은 일에 대한 걱정은 충분한 대비책을 마련하게 한다는 좋은 점이 있다.

글의 내용 파악하기

1 문제 파악하기

'마음의 방황' 상태에 있을 때의 특징을 파악하는 문제

2 글의 내용 살펴보기

• '마음의 방황' 상태에 있을 때의 특징
• '마음의 방황' 상태에 빠지지 않기 위해 할 일

3 글의 내용을 파악하기

문단의 중심 내용을 찾아서 정리합니다.

2 다음 글의 내용을 알맞게 이해한 것은? ····················· (   )

글의 세부 내용 파악하기

1 문제 파악하기

각 문단에서 중요한 내용을 파악하는 문제

세종 대왕은 우리나라 역사상 가장 위대한 임금이라고 칭송받는 임금이다. 그는 재위 기간 중 많은 업적을 남겼지만 그중 최고 업적은 훈민정음을 창제한 것이다. 훈민정음은 '백성을 가르치는 바른 소리'라는 뜻으로 여기에는 세종 대왕이 백성을 사랑하는 마음, 즉 애민 정신이 담겨 있다. 세종 대왕은 학식이 높고 배움이 많은 양반이나 선비들을 위한 글이 아니라 일반 백성을 위한 글을 만들었다.

당시 지배 계급인 양반은 한자를 읽고 쓰는 것을 자기들의 특권으로 생각했기 때문에 일반 백성이 글을 읽고 쓰는 것에 대해 강한 거부감을 나타내었다. 왜냐하면 백성이 글을 읽고 쓰게 되면 자신들의 권위와 특권이 추락할 것이라고 생각했기 때문이다. 그러나 세종 대왕은 백성이 글을 모르는 무지함으로 인해 억압받고 고통받는 현실에서 벗어날 수 있게 하려고 했다.

지금의 한글이라는 이름은 주시경 선생에 의해 만들어졌다. 한글의 '한'이란 '크다'는 뜻으로 한글은 '큰 글'이라는 뜻을 담고 있다. 한글은 표현하지 못하는 발음이 거의 없는 문자이다. <u>한글 자음과 모음을 조합해 만들어 낼 수 있는 글자는 1만 자가 넘는다.</u>

우리는 세종 대왕의 애민 정신으로 만들어진 한글을 더 발전시키고 잘 보존해야 할 것이다.

2 각 문단의 중요한 내용

• 1문단: 세종 대왕이 훈민정음을 창제한 까닭
• 2문단: 양반이 훈민정음 창제를 반대한 까닭
• 3문단: 한글의 장점

3 문단에서 중요한 내용을 파악하기

문단의 내용을 중심 문장과 뒷받침 문장으로 나누어 봅니다.

① '한글'이라는 이름은 세종 대왕이 만들었다.
② 양반은 세종 대왕의 훈민정음 창제를 도왔다.
③ '한글'은 '백성을 가르치는 바른 소리'라는 뜻이다.
④ 한글은 표현하지 못하는 발음이 거의 없는 문자이다.
⑤ 훈민정음을 만든 바탕은 세종 대왕의 학문에 대한 열정이다.

3 문제 **2**의 글 에서 밑줄 그은 부분을 읽고 한글에 대해 알 수 있는 것은? ····················· (   )

문장의 의미 파악하기

① 가로로도 쓸 수 있고 세로로도 쓸 수 있는 효율적인 문자
② 문자 입력 자판을 여러 종류로 만들 수 있는 기계화에 적합한 문자
③ 적은 수의 글자로 무수히 많은 소리를 표기할 수 있는 경제적인 문자
④ 발음 기관과 천지인의 생김새를 본떠 만든 철학적이고 독창적인 문자
⑤ 구성이 간단하여 휴대 전화에 문자 입력 시간이 길게 걸리는 정보화 시대에 어울리는 문자

● 한글은 기본 자음자 14자, 기본 모음자 10자로 구성된다는 것 알기
● 적은 수의 기본 자음자와 기본 모음자로 만들 수 있는 글자가 1만 자가 넘는다는 것의 의미 파악하기

평가 · 감상

글을 읽고 주제나 의견에 대한 평가를 하고 생각이나 느낌을 알맞게 표현할 수 있는지 평가하는 유형

4 다음 글에 제시된 **근거의 타당성을 평가**한 내용으로 알맞지 <u>않은</u> 것은? (   )

지구촌 곳곳에서 이루어진 자연 개발은 우리의 삶을 풍요롭게 해 주었다. 그러나 무분별한 개발은 자연을 훼손했고 인류의 생존까지 위협하기에 이르렀다. 우리는 자연의 목소리에 귀를 기울이고 자연을 보호하여야 한다. 자연을 보호하여야 하는 까닭은 무엇일까?

첫째, 자연은 한번 파괴되면 복원하기가 어렵다. 나무 한 그루가 성장하는 데 30~50년이 걸리고 우유 한 컵으로 오염된 물이 깨끗한 물로 정화되려면 약 2만 배 정도의 물이 필요하다. 자연의 힘이 아무리 위대하여도 자정 능력을 넘어서는 오염을 감당하기는 어렵다.

둘째, 무리한 자연 개발은 생태계를 파괴한다. 생물은 서로 얽혀 주변 환경과 영향을 주고받으며 살아간다. 예를 들어 편의 시설을 만들기 위해 자연을 개발하면 주변 환경이 파괴되고 기후 변화 등 생태계 변화가 일어나 사람까지 나쁜 영향을 받게 된다. 사람도 자연의 일부분이므로 자연과 조화를 이루어야 삶이 풍요로워진다.

셋째, 자연은 우리 후손의 삶을 위한 터전이다. 후손들의 편리한 삶을 위한 개발은 미래를 위한 저축과 같다. 지구는 조상이 남긴 소중한 환경 유산이지만 후손이 편하게 살아갈 삶의 터전이기에 개발에 노력해야 한다.

자연은 어머니의 따뜻한 품이자 우리의 영원한 안식처이다. 더 이상 무분별한 개발로 자연을 훼손해서는 안 된다. 무분별한 개발을 멈추고 자연이 쉴 수 있도록 노력하는 것은 우리 모두에게 주어진 과제이다. 우리는 자연 보전과 자연 보호의 참뜻을 깨닫고 실천하여야 한다.

근거의 타당성을 평가하기

1 문제 파악하기

근거의 타당성을 평가하는 기준을 아는지 묻는 문제

2 근거를 뒷받침하는 내용

· 첫 번째 근거를 뒷받침하는 내용: 나무 한 그루의 성장 기간과 우유 한 컵으로 오염된 물을 정화할 수 있는 물의 양
· 두 번째 근거를 뒷받침하는 내용: 생물이 서로 영향을 주고받으며 살아간다는 것
· 세 번째 근거를 뒷받침하는 내용: 후손들의 편리한 삶을 위해 자연을 개발해야 한다는 것

3 근거의 타당성을 평가하기

근거가 주장과 관련 있는지, 주장을 뒷받침하는지, 근거를 뒷받침하는 예나 내용이 적절한지 등을 살펴봅니다.

① 이 글의 내용이 모두 자연을 보호하자는 주장을 뒷받침하는 내용으로 타당한 것은 아니야.

② 첫 번째 근거를 뒷받침하기 위해 나무의 성장 기간을 예로 들었어.

③ 첫 번째 근거는 자연의 자정 능력을 들어 자연을 보호해야 한다는 내용으로 주장의 타당한 근거가 될 수 있어.

④ 두 번째 근거는 무리한 자연 개발로 생태계를 파괴하면 그 영향이 사람까지 미치게 되므로 자연을 보호해야 한다는 내용으로 타당한 근거가 될 수 있어.

⑤ 세 번째 근거는 미래를 위해 저축하는 마음을 가지고 자연 개발에 노력해야 한다고 했기 때문에 이 글의 주장에 대한 타당한 근거가 될 수 있어.

5 다음 글에 나타난 **주장과 근거를 평가한** 내용으로 알맞은 것은? ·············· (   )

주장과 근거를 평가하기

1 문제 파악하기

주장과 근거가 긴밀하게 연결되어 있는지 파악하는 문제

2 글의 내용 살펴보기

• 여자들도 의병 운동을 해야 한다는 윤희순의 주장
• 여자들이 의병 운동에 나서도 소용없다는 마을 아낙네의 주장

3 주장과 근거를 파악하기

인물의 생각과 그 생각을 뒷받침하는 내용을 살펴봅니다.

"여러분, 우리가 누구입니까?"

마을 아낙네들의 눈길이 모두 윤희순에게 쏠렸다.

"여태껏 우리 여자들은 집안을 돌보는 데 온 힘을 다해 왔습니다. 하지만 이제 왜놈들이 이 나라를 집어삼키려는 마당에 우리가 가만히 집 안에만 틀어박혀 있을 순 없는 노릇입니다. 그러니 우리도 사내들처럼 다 함께 의병 운동에 나서야 할 것입니다."

그때 누군가가 말꼬리를 걸고 나섰다.

"아니, 조정 대신이란 놈들이 나라를 팔아먹으려 드는데 우리 같은 여자들이 나선다고 뭐가 달라지겠소? 자칫 괜한 목숨만 버릴 뿐이오."

그 말이 떨어지기가 무섭게 여기저기서 술렁거렸다. 기껏 뜨겁게 달아오른 열기가 금세 차갑게 식을 판이었다.

"그럼 나라를 빼앗기고 왜놈들 종으로 살자는 것입니까?"

윤희순이 다시 마음을 가다듬고 큰 소리로 부르짖자 마을 아낙네들의 눈길이 또다시 윤희순에게 쏠렸다. 윤희순은 그 틈을 안 놓치고 곧장 말을 이었다.

"여기 계신 분들 가운데 자식을 왜놈의 종으로 살게 내버려 두고 싶은 사람은 한 분도 없을 것입니다. 그러니 우리 여자들도 사내들을 도와 왜놈들을 몰아내는 데 한몫을 해야 하지 않겠습니까?"

거침없이 내뱉는 윤희순의 말에 여기저기서 고개를 끄덕였다. 마침내 윤희순은 마을 아낙네들을 끌어모아 안사람 의병대를 만들었다.

"의병을 도와 나라를 구합시다!"

맨 먼저 안사람 의병대는 집집마다 찾아다니며 모금을 했다.

"왜놈들이 우리나라를 집어삼키려 합니다. 의병을 도와주십시오."

안사람 의병대의 눈물 어린 하소연은 많은 사람의 마음을 움직였다.

「의병장 윤희순」 정종숙

① '의병을 도와 나라를 구해야 한다'의 근거는 '대한 제국 군대가 없기 때문에'이므로 타당하다.

② '의병을 도우려면 모금을 해야 한다'의 근거는 '의병들의 월급이 많기 때문에'이므로 타당하다.

③ '여자들도 의병 운동을 해야 한다'의 근거는 '일제의 침략을 받은 위급한 상황이기 때문에'이므로 타당하다.

④ '여자들도 왜놈들을 몰아내는 일을 해야 한다'의 근거는 '여자들이 왜놈보다 힘이 세기 때문에'이므로 타당하다.

⑤ '여자들이 의병 운동을 해도 소용없다.'의 근거는 '나라의 관리들이 일제의 침략을 잘 막아 내고 있기 때문에'이므로 타당하다.

추론

글에 직접 드러나지 않은 내용을 미루어 생각하여 파악할 수 있는지 평가하는 유형

6 다음 글에서 ㉠의 **까닭을 알맞게 추론한** 것은? ·········· (　　　)

> 국수는 밀가루 반죽으로 가늘고 긴 면을 뽑아 삶아서 먹는 음식이다. 맨 처음 국수를 먹기 시작한 지역에 대해서는 아시아, 유럽 등 의견이 분분하지만 아직 정확하게 밝혀진 내용은 없다.
>
> 6.25 전쟁 직후 미국의 식량 원조로 밀가루가 우리나라에 많이 들어오면서 국수는 간편하게 즐겨 먹는 음식이 되었다. 그렇지만 원래 ㉠우리나라에 국수가 전해진 삼국 시대부터 조선 시대까지 매우 귀한 음식이었다. 국수는 의례 음식이나 귀족의 행사, 혼례식, 생일 등에 먹는 특별한 음식으로 여겼다. 특히 국수의 긴 면은 경사의 의미가 있어 혼례식에 온 하객들에게 대접하기도 했다. 그래서 지금까지도 '㉡국수 먹는 날'이란 말이 사용되기도 한다. 그리고 긴 국수 가락에는 [　　㉢　　]는 의미도 담겨 있다.

① 국수의 조리 방법이 복잡했기 때문이다.
② 국수를 뽑는 장인이 부족했기 때문이다.
③ 우리나라 밀의 끈기가 많았기 때문이다.
④ 국수가 조리 과정에서 쉽게 상했기 때문이다.
⑤ 주재료인 밀을 우리나라에서 쉽게 구할 수 없었기 때문이다.

까닭을 추론하기

1 문제 파악하기

앞의 내용을 바탕으로 일이 일어난 까닭을 미루어 생각하는 문제

2 각 문단의 중요한 내용
- 1문단: 국수의 뜻과 유래
- 2문단: 국수를 먹는 날과 국수에 담긴 의미

3 까닭을 추론하기

앞에서 일어난 일을 살펴보고 까닭이 될 만한 것을 찾습니다.

7 문제 **6**의 글 에서 ㉡의 **의미를 알맞게 추론한** 것은? ·········· (　　　)

① 결혼하는 날
② 특별식을 먹는 날
③ 전통 음식을 먹는 명절
④ 국수가 처음 전래된 날
⑤ 국가의 경사가 있는 날

앞의 내용 파악하기
- 국수는 귀족의 행사, 혼례식, 생일 등에 먹었다.
- 국수에 담긴 의미를 생각해 본다.

8 문제 **6**의 글 에서 ㉢ 에 들어갈 내용으로 알맞은 것은? ·········· (　　　)

① 젊게 산다
② 오래 산다
③ 부자로 산다
④ 즐겁게 산다
⑤ 지혜롭게 산다

9 다음 글의 ⓐ 에 들어갈 사건으로 알맞은 것은? ·················· (　　　)

사건의 인과 관계 파악하기

> 신라 제17대 내물왕이 세상을 떠났을 때, 맏아들 눌지 왕자가 아직 어린 나이였다. 그래서 내물왕의 사촌이었던 실성왕이 제18대 왕이 되었다.
>
> 실성왕은 내물왕 때 고구려에 인질로 보내져 10년 정도 고구려에서 지내다가 신라로 돌아와서 내물왕을 원망하는 마음이 있었다. 실성왕은 왕위에 오르자
>
> | ⓐ |
>
> 그리고 몇 년 후에는 내물왕의 또 다른 아들 복호 왕자를 고구려에 볼모로 보냈다.
>
> 세월이 흘러 417년에 눌지왕이 제19대 왕이 되었다. 눌지왕은 항상 왜국과 고구려에 볼모로 보내진 두 아우를 신라로 데려오고 싶었으나 방법이 없었다.
>
> 두 아우를 신라로 데리고 올 방법을 고민하던 왕에게 신하들이 말하였다.
>
> ⓑ "이 일은 지혜와 용맹을 겸비한 사람이라야만 할 수 있을 것이옵니다. 박제상을 불러 논의하심이 어떨까 하옵니다."
>
> 박제상은 눌지왕의 명을 받고 먼저 고구려로 떠났다. 고구려에 도착하여 고구려 왕을 만난 박제상이 말하였다.
>
> "만약 대왕이 복호 왕자를 신라로 돌려보내 주신다면, 이는 마치 아홉 마리의 소 가운데 박힌 하나의 털과 같이 대왕에게는 손해될 것이 없습니다. 그렇지만 우리 임금은 대왕께 큰 은혜를 입을 것이옵니다."

① 왜국과 싸워 이겼다.

② 눌지 왕자를 죽였다.

③ 고구려에 사신을 보내 수교하였다.

④ 박제상을 왜국에 볼모로 보내 버렸다.

⑤ 내물왕의 아들이자 눌지의 동생인 미사흔 왕자를 왜국에 볼모로 보내 버렸다.

사건의 인과 관계 파악하기

1 문제 파악하기

사건의 흐름을 원인과 결과 순서로 파악하는 문제

2 사건과 인물의 마음 파악하기

· 사건: 내물왕이 죽고 실성왕이 왕위에 올랐다.

· 실성왕의 마음: 내물왕에 대한 복수심이 있었다.

3 사건의 원인과 결과를 파악하기

시간의 순서대로 사건을 연결하면 원인과 결과를 파악할 수 있습니다.

10 문제 9 의 글 ⓑ에서 알 수 있는 사실로 알맞은 것은? ·········· (　　　)

① 박제상은 지혜와 용맹을 갖추었다.

② 박제상은 대대로 신라 귀족이었다.

③ 박제상은 내물왕에 대한 원한이 깊다.

④ 박제상은 실성왕을 왕으로 인정하지 않았다.

⑤ 박제상은 왜국과 고구려의 왕과 친분이 있다.

문장의 의미 파악하기

● 눌지왕은 왜국과 고구려에 볼모로 가 있는 두 아우를 데려올 방법을 신하들과 의논함.

● 신하들은 그 일을 맡을 사람이 지혜와 용맹을 갖춘 사람이어야 한다고 말함.

평가 영역

쓰기

◐◑ 영역별 출제 문항 수: 3~4문항 / 30문항

분류	평가 영역
내용 생성	• 제재나 내용에 알맞은 낱말이나 문장 떠올리기 • 글을 쓰는 목적에 맞게 내용 떠올리기 • 자료를 수집하고 분석하여 쓸 내용 만들기
내용 조직	• 글의 전개 방법에 맞게 글 구성하기 • 글의 목적이나 주제에 관련된 내용을 조직하기 • 글의 주제나 문맥에 어울리게 내용 조직하기 • 글의 핵심 내용을 강조하거나 반복하여 조직하기 • 문장이나 문단의 내용이나 순서가 관계있도록 조직하기
표현 · 고쳐쓰기	• 글의 목적, 주제, 읽을 사람 등에 맞게 글 쓰기 • 중심 문장과 뒷받침 문장을 갖추어 문단 쓰기 • 문단의 차례를 알맞게 배치하기 • 글을 효과적으로 전달할 수 있는 표현 방법 사용하기 • 문장 부호, 띄어쓰기, 문장 호응을 알맞게 고치기 • 글자나 낱말을 알맞게 고쳐쓰기

글쓰기의 과정

1 계획하기
글의 목적과 읽을 사람을 떠올리며 글을 쓸 준비를 하는 단계

2 생성하기
쓸 내용을 떠올려 나가기

3 조직하기
쓸 내용을 일정한 기준과 절차에 따라 틀을 짜서 엮기

4 표현하기
읽을 사람이 이해하기 쉽게 쓰기

5 고쳐쓰기
글, 문단, 문장, 낱말 수준에서 고쳐쓰기

평가의 목적

이 유형의 문항은 한 편의 글을 쓰기 위해 글에 들어갈 내용을 선정하고 조건에 맞게 글을 쓴 후에, 쓴 글을 읽고 부족한 부분을 알맞게 고쳐 쓸 수 있는지를 평가하기 위해 출제됩니다.

한 편의 글을 쓰려면 글의 목적과 주제에 맞게 쓸 내용을 떠올리고 이를 조직화하여 자료를 수집하게 됩니다. 그리고 중심 문장과 뒷받침 문장을 갖추어 문단을 쓴 후에 알맞게 배치하여 글을 완성합니다. 글을 완성한 후에는 제목, 문단, 문장이나 낱말 등을 살펴보며 고쳐쓰기를 합니다.

쓰기 평가 영역에서는 이러한 한 편의 글을 쓰는 과정을 이해하고 내용 생성의 적절성, 글 짜임의 수정과 보완, 조건에 맞는 글쓰기 및 표현, 고쳐쓰기 등을 효과적으로 할 수 있는지 평가하게 됩니다. 특히 초등 6학년 쓰기 에는 글쓰기 계획에 맞게 글을 잘 조직하였는지와 글의 문제점을 찾아 고쳐 쓰는 문제 가 자주 출제됩니다.

대표 질문 유형

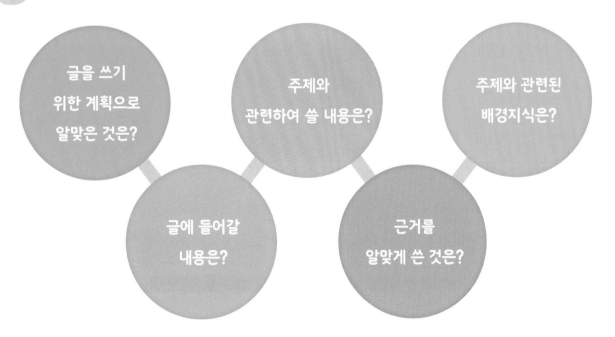

글을 쓰기 위한 계획으로 알맞은 것은?

주제와 관련하여 쓸 내용은?

주제와 관련된 배경지식은?

글에 들어갈 내용은?

근거를 알맞게 쓴 것은?

주요 평가 요소

| 글에 들어갈 내용을 떠올릴 수 있는가? | 자료를 알맞게 해석하고 활용할 수 있는가? | 문단의 순서를 알맞게 배치할 수 있는가? | 조건에 맞게 문장을 표현할 수 있는가? | 글의 문제점을 파악할 수 있는가? |

내용 생성

글을 쓰기 전에 배경지식을 활용하여 쓸 내용을 떠올리고 떠올린 내용을 알맞게 구조화할 수 있는지 평가하는 유형

1 다음 **주제에 대하여 떠오르는 생각을** 생각 그물로 표현하였을 때 알맞지 <u>않은</u> 것은? ·········· ( )

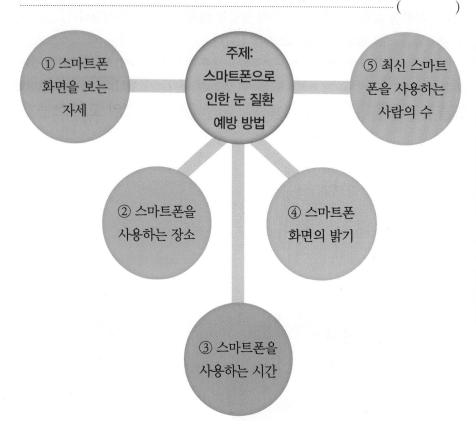

2 문제 **1**의 주제와 관련하여 쓸 내용을 떠올릴 때 **배경지식으로 가장 알맞은 것**은? ·· ( )

① 학교에 청소년 스마트폰 중독 예방 상담 센터가 있다.
② 스마트폰 때문에 발생하는 보행 사고가 점점 많아지고 있다.
③ 스마트폰 화면의 글자 크기를 키워서 멀찍이 보는 것이 좋다.
④ 우리나라 기업의 세계 스마트폰 시장 점유율이 높아지고 있다.
⑤ 스마트폰으로 누리 소통망을 활발하게 이용하면 친구 관계가 좋아진다.

내용 조직

글의 목적이나 주제를 잘 드러낼 수 있도록 문단이나 문장을 알맞게 연결하여 글에 쓸 내용을 체계적으로 짤 수 있는지 평가하는 유형

3 다음은 **논설문을 쓰기 위한 계획**입니다. ①~⑤ 중 가장 알맞지 않은 것은?

(　　　)

서론	문제 상황	① 컴퓨터, 스마트폰 등의 사이버 공간에서 한 사람을 정해 끈질기게 괴롭히는 행동인 '사이버불링'이 점점 늘어나고 있다.
	주장	② 사이버불링을 예방하고 근절하기 위한 적극적인 노력을 해야 한다.
본론	근거 1	③ 학교 폭력의 상당수가 단순 장난에서 시작된다.
	근거 2	④ 학부모, 학생, 관련 종사자 등이 사이버불링이 심각한 사회적 병폐이자 범죄임을 깨달을 수 있도록 지속적이고 전문적인 교육을 받도록 한다.
	근거 3	⑤ 학교나 지역 사회에 사이버불링 전담 상담 센터를 설치한다.
결론	요약 및 정리	사이버불링을 예방하고 근절하기 위해서는 가족, 학교, 경찰 등 모두가 관심을 가지고 지속적으로 대응해야 한다.

논설문의 요소 이해하기

1 문제 파악하기

논설문에 들어가는 내용과 그 내용들의 관련성을 묻는 문제

2 논설문에 들어갈 내용

- 문제 상황
- 주장과 근거
- 근거를 뒷받침하는 예, 통계 자료, 전문가와의 면담 내용 등

4 문제 **3** 의 표 에 나타난 **주장에 대한 근거**를 가장 알맞게 쓴 사람은? (　　　)

① 민선: 사이버불링의 가해자에 대한 처벌을 강화할 필요가 있다.

② 경진: 사이버불링은 인터넷 공간을 뜻하는 '사이버'와 괴롭힘을 뜻하는 '불링'의 합성어이다.

③ 지후: 사이버불링은 익명성과 비대면성에 기대어 발생하기 때문에 가해자가 누구인지 파악하기가 쉽지 않다고 한다.

④ 건우: 사이버불링은 컴퓨터나 스마트폰 등 전자 기기를 통해 괴롭힘이 고의적이고 지속적으로 이루어진다는 특징이 있다.

⑤ 민호: 사이버불링은 한 번 게시된 욕설이나 비방, 사진, 영상 등이 복제를 통해 순식간에 퍼져 나가기 때문에 확산 속도가 매우 빠르다는 성격이 있다.

주장에 대한 근거 찾기

● **주장**
사이버불링을 예방하고 근절하기 위한 적극적인 노력을 해야 한다.

● **근거 찾기**
사이버불링의 의미, 특징, 예방과 근절 방법을 구분함.

5 다음 글에 **이어질 내용으로 알맞지 <u>않은</u> 것은?** ·········· (   )

> 최근 반려견이 지나가는 사람을 물거나 갑자기 공격해서 다치는 사고가 있었다. 반려견은 키우는 사람에게는 소중한 가족이지만 이웃에게는 상해를 입히는 공포의 대상이 될 수도 있는 것이다.

① 건강한 반려견의 삶을 위해서 반려견 예절 교육이 필요하다.

② 반려견을 데리고 다닐 때 반려견의 복지를 위해 목줄을 빼고 자유롭게 돌아다니게 하는 것이 좋다.

③ 최근에 일어나는 물림 사고나 잦은 짖음으로 인한 이웃 간의 불화 등은 반려견 예절 교육을 통해 충분히 해소할 수 있다.

④ 반려견 예절 교육의 가장 기본인 앉아, 엎드려, 기다려, 이리 와, 옆에(옆에 따라다니기)와 같은 것을 철저히 하는 것이 좋은 방법이다.

⑤ 반려견을 키우는 가족이 그렇지 않은 사람들과 공존하는 사회를 만들어 가고 동물 복지를 위하여 반려견 예절 교육은 반드시 필요하다.

글에 들어갈 내용 찾기

1 문제 파악하기

글쓴이의 주장을 파악하여 글에 쓸 내용을 아는지 묻는 문제

2 글의 내용 파악하기

• 문제 상황: 반려견이 사람을 물거나 다치게 하는 사고가 발생한다.

---

6 다음 글의 ☐ 안에 들어갈 수 있는 내용으로 **알맞지 <u>않은</u> 것은?** ···· (   )

> 반려견과 가족으로 살기 위해서는 반려견에게 반드시 예절 교육을 시켜야 한다. 교육을 통해 남을 배려하는 방법도 알게 되고 궁극적으로는 반려견과 반려견을 키우는 가족들이 편안하고 행복한 생활을 할 수 있기 때문이다.
> 반려견 예절 교육의 방법에는 다음과 같은 것이 있다.
>
> ☐

① 반려견이 사람을 무는 것은 철저하게 금지한다.

② 반려견이 보호자를 위로 여길 수 있도록 서열 관계를 분명히 한다.

③ 반려견 예절 교육은 반려견에 대한 칭찬과 보상으로 진행할수록 좋다.

④ 반려견 예절 교육을 체계적으로 하는 반려견 유치원에 대한 문의가 뜸하다.

⑤ 반려견 예절 교육은 반려견이 태어난 지 3주~12주 사이에 하는 것이 가장 효과적이다.

글의 짜임 파악하기

● 반려견 예절 교육의 필요성 제시

● 반려견 예절 교육의 구체적인 방법 소개

평가 영역 — 문법

분류	평가 영역
문장 · 담화	• 문장 성분을 이해하고 호응에 알맞은 문장 구성하기 • 비문을 알맞은 문장으로 고치기
발음 · 표기 · 규범	• 맞춤법에 맞게 쓰기 • 알맞게 띄어쓰기 • 국어 규칙을 이해하고 적용하기 • 발음 규칙을 이해하기 • 높임법에 맞추어 쓰기
한글 체계	• 훈민정음의 제자 원리 알기 • 한글의 전반적인 체계와 우수성에 대하여 이해하기

주요 평가 문법 지식

문장 호응

높임의 대상을 나타내는 말과 서술어의 호응	시간을 나타내는 말과 서술어의호응
주어와 서술어의 호응	꾸며 주는 말과 서술어의 호응

낱말의 짜임

꽃 + 집 = 꽃집 → 꽃을 파는 가게

풋- + 사과 = 풋사과 → 아직 덜 익은 사과

띄어쓰기

• 사과한개 → 사과∨한∨개
  ✪ 단위를 나타내는 명사는 띄어 쓴다.

• 아침겸점심 → 아침∨겸∨점심
  ✪ 이어 주는 말은 띄어 쓴다.

• 잘난체를한다 → 잘난∨체를∨한다
  ✪ 의존 명사는 띄어 쓴다.

• 먹을만큼 → 먹을∨만큼
  ✪ 의존 명사는 띄어 쓴다.

한글의 우수성

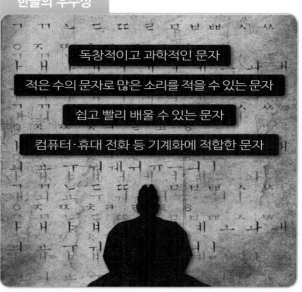

독창적이고 과학적인 문자

적은 수의 문자로 많은 소리를 적을 수 있는 문자

쉽고 빨리 배울 수 있는 문자

컴퓨터 · 휴대 전화 등 기계화에 적합한 문자

문법 평가 영역은 국어 문법에 대한 기초 지식과 활용 능력을 평가하기 위한 영역입니다.

언어는 같은 언어를 사용하는 사람들 사이에서 일정한 규칙에 따라 만들어지고 쓰이게 되는데, 이러한 말의 규칙이 '문법'입니다. 국어 역시 발음(소리 내어 읽기), 표기(맞춤법), 구성(낱말이나 문장의 짜임) 등 국어 나름의 문법을 가지고 있습니다.

문법 평가 영역에서는 학년 수준에 맞는 국어 문법 지식을 가지고 있는지, 또 이를 국어 생활에 적절히 활용할 수 있는지 평가하게 됩니다. 초등 6학년 문법 평가 영역에서는 **호응 관계가 올바른 문장을 구성할 수 있는지, 국어 규범을 이해하고 국어를 바르게 사용할 수 있는지, 훈민정음의 제자 원리와 한글의 우수성을 알고 있는지를** 주로 평가합니다.

대표 질문 유형

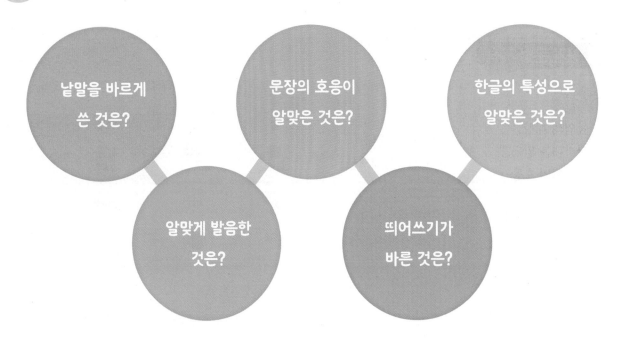

낱말을 바르게 쓴 것은?

알맞게 발음한 것은?

문장의 호응이 알맞은 것은?

띄어쓰기가 바른 것은?

한글의 특성으로 알맞은 것은?

주요 평가 요소

어법에 맞는 문장을 구사할 수 있는가?	띄어쓰기를 바르게 할 수 있는가?	낱말의 정확한 발음을 알고 있는가?	낱말의 알맞은 표기를 알고 쓸 수 있는가?	한글의 체계와 우수성을 알고 있는가?

문장·담화

문장의 호응 관계를 이해하고 이를 활용할 수 있는지와 같이 문장 수준의 문법 지식을 평가하는 유형

1 다음 ㉠의 **문장 호응이 어색한 까닭**과 예시 문장을 짝 지은 것으로 알맞은 것은? .... (　)

> ㉠ 여기에서 새로 만난 담임 선생님도 친구들도 친절하게 잘 대해 줘.

	㉠의 문장 호응이 어색한 까닭	예시 문장
①	꾸며 주는 말과 서술어의 호응이 적절하지 않다.	사람이라면 모름지기 양심을 속이는 법이 없어야 한단다.
②	시간을 나타내는 말과 서술어의 호응이 적절하지 않다.	그때 있었던 일을 기억할 수 있겠니?
③	주어와 서술어의 호응이 적절하지 않다.	사냥꾼이 호랑이를 잡았다.
④	높임의 대상을 나타내는 말과 서술어의 호응이 적절하지 않다.	할아버지께서는 비빔밥을 잡수시고, 동생은 달걀찜을 먹었다.
⑤	부정의 뜻을 나타내는 말과 서술어의 호응이 적절하지 않다.	저는 결코 거짓말을 한 적이 없습니다.

문장 호응의 관계 파악하기

1 문제 파악하기

문장 성분끼리 잘 맞거나 어울리는지 확인하는 문제

2 문장의 내용 파악하기

문장의 앞부분이 서술어와 호응되는지 살펴보기

3 문장 호응의 관계를 파악하기

문장을 구성하는 성분을 구분한 후에 성분끼리 잘 어울리는지, 문장 이해가 잘 되는지 등을 살펴봅니다.

2 밑줄 그은 문장의 **호응 관계**가 나머지 넷과 다른 하나는? .... (　)

① 할머니께서 가게에 들어가신다.
② 밤이 되어서야 겨우 숙제를 마쳤다.
③ 만약 날씨가 좋다면 공원에 자전거를 타러 가자.
④ 비록 오래된 가방이지만 내가 가장 아끼는 것이다.
⑤ 수영을 하기 전에는 반드시 준비 운동을 해야 한다.

문장의 호응 관계

● 높임의 대상을 나타내는 말과 서술어의 호응
예 그것은 부모님께 드려야지.

● 꾸며 주는 말과 서술어의 호응
예 아마 그것은 씨앗일 거야.

유형 풀이 tip

문장의 호응은 문장에서 앞에 어떤 말이 오면 거기에 대응하는 말이 따라오는 것을 말합니다. 문장에서 어떤 말이 앞에 올 때에 거기에 대응하는 말이 호응을 이루지 않으면 어색한 문장이 되거나 의도가 잘못 전달될 수 있습니다.

발음·표기·규범

한글의 표기와 발음이 다름을 이해하고 한글 맞춤법에 맞추어 바르게 쓰거나, 띄어쓰기를 알맞게 할 수 있는지 평가하는 유형

3 받침 'ㅎ'이 뒤따르는 소리에 따라 어떻게 발음되는지 나타낸 표입니다. 다음 관용 표현의 밑줄 그은 부분을 알맞게 발음한 것은? ················ (   )

받침 'ㅎ'		
'ㄱ, ㄷ, ㅈ'을 만나면	'ㄴ, ㅅ'을 만나면	모음을 만나면
• ㅎ+ㄱ → [ㅋ] 예 넣기[너ː키] • ㅎ+ㄷ → [ㅌ] 예 좋던[조ː턴] • ㅎ+ㅈ → [ㅊ] 예 쌓지[싸치]	• ㅎ+ㄴ → [ㄴ] 예 놓는[논는] • ㅎ+ㅅ → [ㅆ] 예 좋소[조ː쏘]	• 'ㅎ'이 없어져서 발음된다. 예 좋아[조ː아]

① 엎어지면 코 닿을[다흘] 데.
② 낫 놓고[노꼬] 기역 자도 모른다.
③ 보기 좋은 떡이 먹기도 좋다[졷타].
④ 개미는 작아도 탑을 쌓는다[싼는다].
⑤ 남의 잔치에 감 놓아라[노하라] 배 놓아라 한다.

받침을 알맞게 발음하기

1 문제 파악하기

받침을 알맞게 발음할 수 있는지 묻는 문제

2 밑줄 그은 'ㅎ'의 경우 살펴보기

• 닿을 → 받침 'ㅎ'이 모음을 만나는 경우
• 놓고 → 받침 'ㅎ'이 'ㄱ'을 만나는 경우

4 다음 중 밑줄 그은 부분의 **띄어쓰기**가 바른 문장은? ················ (   )

① 책 100권을 <u>모으는데</u> 얼마나 걸린 거야?
② <u>먹을 만큼</u> 먹었으니 이제 가 보겠습니다.
③ 내 친구 유정이가 <u>전학 간지</u> 벌써 3개월이 지났다.
④ 우리 정말 오랜만이지? 도대체 <u>얼마만에</u> 만난 거니?
⑤ 이 내용은 이미 앞서 <u>검토하였는바</u>, 더 자세한 설명은 생략하겠습니다.

규칙에 맞게 띄어쓰기 하기

● 앞의 말과의 관계를 생각하기
● 낱말의 형태를 파악하기

유형 풀이 tip

띄어쓰기나 발음, 맞춤법의 경우 일정한 규칙이나 원칙이 있으므로 이해를 기본으로 하면서도 외워 두는 것이 좋습니다. 띄어쓰기의 경우 조사, 의존 명사, 단위를 나타내는 말 등을 어떻게 띄어 쓰는지 잘 알아 둡니다.

한글 체계

훈민정음의 제자 원리와 한글의 전반적인 체계를 이해하고 한글의 우수성에 대하여 바르게 알고 있는지 평가하는 유형

5 다음 글에서 알 수 있는 **한글의 특성**으로 알맞은 것은? ·············· (   )

> '세종대왕문해상'은 1989년 대한민국 정부에 의해 만들어진 상으로, 국제 연합에 속한 단체인 유네스코에서 수여한다. 세종대왕문해상은 전 세계에서 문해 증진을 위해 일하는 개인이나 단체에 수상한다. 문맹 퇴치 사업에 직접 종사하거나 문맹 퇴치를 위한 학술을 연구하거나 문맹 퇴치에 공이 있는 언론 등이 세종대왕문해상의 수상 대상이 된다.
>
> 세종대왕문해상에 '세종대왕'이라는 이름이 붙은 까닭은 한글의 우수성 때문이다. 한글은 배우기 쉬워 글을 읽거나 쓸 줄 모르는 사람의 비율을 낮추는 글이다. 경제협력개발기구(OECD) 조사에서도 알 수 있듯이 우리나라 문해율은 매우 높은 국가에 속한다. 이것은 한글 덕분이라고 할 수 있다.
>
> 영국 옥스퍼드 대학은 지구상 모든 문자의 순위를 매겼는데, ㉠합리성, 과학성, 독창성을 기준으로 한 순위에서 1위가 한글이었다. 독일의 한국학자인 베르너 사세 교수는 "한글은 전통 철학과 과학 이론이 결합한 세계 최고의 문자"라고 하였다.

① 한글은 간결하고 배우기 쉽다.
② 한글은 기계화에 적합하지 않다.
③ 한글은 권력과 지위의 상징이다.
④ 한글은 소수 민족이 사용하기에 가장 알맞다.
⑤ 한글은 정보나 지식을 일부 사람들만 공유하기에 좋다.

한글의 특성 알기

1 문제 파악하기

글을 읽고 알 수 있는 한글의 특성을 찾는 문제

2 글에 나타난 한글의 특성

• 배우기 쉽다.
• 합리적, 과학적, 독창적이다.

---

6 **문제 ⑤**의 글에서 ㉠을 뒷받침할 수 있는 예로 알맞지 <u>않은</u> 것은? ···· (   )

① 한글 모음자의 기본 문자는 하늘, 땅, 사람을 본떴다.
② 한글은 소리와 문자가 서로 체계적 연계성을 가진다.
③ 한글 자음자의 기본 문자는 발음 기관의 모양을 본떴다.
④ 한글은 음과 뜻을 일일이 따로 바꾸어 자판에 입력해야 한다.
⑤ 한글 자음자의 기본 문자에 획을 더하거나 같은 문자를 하나 더 쓰면 다른 자음자를 만들 수 있다.

평가 영역   문학

영역별 출제 문항 수: 5~7문항 / 30문항

분류	평가 영역
지식	• 작품에 나타난 비유적 표현 알기 • 갈래별 특성과 구성 요소 알기 • 구성 요소 간의 관계 파악하기 • 이야기의 전개 과정을 파악하기
수용과 생산	• 인물과 사건의 관계 파악하기 • 인물의 말이나 행동의 까닭 짐작하기 • 작품에 대한 생각과 느낌 비교하기 • 이어질 내용 상상하기 • 인물이 추구하는 다양한 가치를 비교하기 • 이야기를 극으로 알맞게 바꾸기 • 이야기의 배경 파악하기 • 이야기의 앞이나 뒤에 생략된 내용 짐작하기

문학 작품의 특성

시
• 행과 연으로 이루어짐.
• 운율이 있어서 리듬감을 느낄 수 있음.
• 비유적 표현을 사용하기도 함.

이야기
• 인물, 배경, 사건으로 구성됨.
• 인물 간의 갈등이 벌어짐.
• 인물의 성격에 따라 사건의 전개가 달라짐.

희곡
• 해설, 대사, 지문으로 구성됨.
• 대사로 인물의 성격이나 사건을 표현함.
• 연극으로 상연할 때의 장면을 떠올릴 수 있음.

🔖 평가의 목적

[문학] 평가 영역은 시, 이야기, 희곡과 같은 다양한 문학 작품을 갈래의 특성에 맞게 읽고 감상할 수 있는 지 평가하기 위한 영역입니다.

문학 작품을 감상한다는 것은 정보의 습득을 목적으로 하는 읽기와는 달리, 읽는 이의 생각과 가치에 따라 작품의 의미를 보다 폭넓게 이해하고 작품이 주는 분위기와 정서를 마음에 받아들이는 활동입니다.

[문학] 평가 영역에서는 작품의 종류에 따라 작품을 감상하는 방법을 이해하고 작품이 주는 감동을 적절하 게 수용할 수 있는지를 평가하게 됩니다. 특히 초등 6학년 [문학] 평가 영역에서는 **시적 표현의 의미를 이해할 수 있는지, 이야기의 구성 요소를 파악하고 인물과 사건의 관계를 이해할 수 있는지**를 주로 평가합니다.

🔖 대표 질문 유형

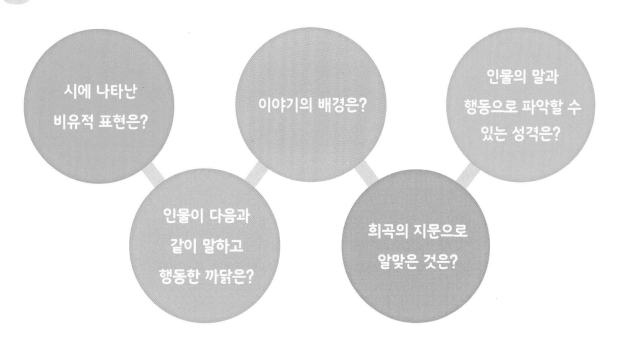

시에 나타난 비유적 표현은?

인물이 다음과 같이 말하고 행동한 까닭은?

이야기의 배경은?

희곡의 지문으로 알맞은 것은?

인물의 말과 행동으로 파악할 수 있는 성격은?

🔖 주요 평가 요소

작품에 나타난 표현의 특성을 이해할 수 있는가?	갈래의 특성에 따른 구성 요소를 알고 있는가?	작품의 주요 내용을 파악할 수 있는가?	작품의 내용을 맥락과 관련 지어 이해할 수 있는가?	작품에 대한 생각이나 느낌을 표현할 수 있는가?

지식

문학의 갈래별 특성을 이해하고 구성 요소와 표현 방법을 알고 있는지 평가하는 유형

1 다음은 희곡의 일부분입니다. **이 부분에 대해 바르게 이해한 사람은?** ····· (　　　)

> 　낡고 커다란 배낭을 멘 노인이 마을 거리를 무겁게 걸어간다. 해진 옷에, 지나치게 커다란 배낭을 메고, 마을의 여기저기를 기웃거리는 노인을 보고 마을 사람들이 수군거린다.
>
> 　마을 사람 1: ㉠못 보던 노인인데······.
> 　마을 사람 2: 잘 걷지도 못하네······.
> 　마을 사람 3: 무얼 넣고 다니는 거지? 배낭이 사람 몸보다 더 커.
>
> 　햇살이 비치는 곳에서 노인은 배낭을 멘 채 앉아 잠시 숨을 돌린다.
> 　힘겹게 일어나 근처 식당으로 들어간다.
> 　노인이 식당 구석진 자리에 앉는다. 배낭을 벗지 않은 채 엉거주춤 위태롭게 앉는다. 식당 안 손님들이 노인을 힐끔힐끔 쳐다본다. 식당 주인이 빵과 물을 노인의 식탁으로 가져간다. 노인이 천천히 물을 마시고 빵을 베어 문다.
>
> 　식당 주인: (배낭을 벗겨 주려고 배낭을 들면서) 무거운데, 이거는 벗어 놓고 드세요.
>
> 「배낭을 멘 노인」 박현경 · 김운기

① 민지: 마을 사람들 때문에 큰 위기가 다가오고 있어.
② 도현: 마을에 나타난 배낭을 멘 노인이 소개되고 있어.
③ 예은: 무대 해설과 주인공을 소개하며 긴장감을 높이고 있어.
④ 소율: 식당 주인이 사건을 해결하고 이야기를 끝내는 장면이구나.
⑤ 이준: 지문을 보니 식당 주인과 마을 사람들 사이에 갈등이 발생하는 부분이야.

2 (문제 **1**의 희곡)에서 ㉠과 같은 요소의 역할로 알맞은 것은? ·········· (　　　)
① 무대 밖의 공간에 대하여 설명한다.
② 연극의 분위기와 효과음을 지시한다.
③ 등장인물의 행동이나 표정을 지시한다.
④ 연극의 무대 장치와 배경 등을 설명한다.
⑤ 등장인물의 마음을 나타내고 사건을 진행한다.

희곡의 구성 단계 파악하기

1 문제 파악하기

희곡이 어떻게 구성되는지 묻는 문제

2 희곡의 내용 살펴보기

• 중심인물인 배낭을 멘 노인이 나옴.
• 마을과 식당에서 사건이 펼쳐질 것임을 짐작할 수 있음.

3 희곡의 구성 단계

희곡은 보통 발단, 전개, 절정, 하강, 대단원으로 구성됨.

희곡의 구성 요소

● 해설
때, 곳, 나오는 사람, 무대의 바뀜 등을 설명
● 대사
인물이 직접 하는 말
● 지문
인물의 행동이나 표정

수용과 생산

문학을 석극석으로 수용하고 창조석으로 재구성하며, 수체적인 관점에서 창작할 수 있는지 평가하는 유형

3 다음 이야기에서 **오 씨가 장이네 집에는 오지 않으면서 장이 아버지의 안부를 묻는 까닭은?** .... (　　)

앞 이야기: 장이의 아버지는 천주학 책을 필사했다는 이유로 관아에 끌려가 모진 고문을 당한다. 사람들은 천주학쟁이로 몰려 벌을 받을까 봐 장이네 집을 멀리한다. 그러던 어느 날, 돈과 편지가 든 주머니가 장이네 집 마루에 놓여 있었다.

'어서 쾌차하게. 미안하고 부끄럽네. ─서(西)'

장이는 짧은 편지를 눈으로 여러 번 읽었다.

"서(西)가 누구예요?"

"서학, 그러니까 천주학 책을 사 간 사람 중 하나겠지."

"그럼 책방 어른은 아니네요?"

장이의 눈매에 힘이 들어가며 말꼬리가 올라갔다. 아버지가 관아에 끌려간 뒤 한 번도 나타나지 않은 최 서쾌에 대해 장이는 서운한 마음이 들었다.

"장아, 책방 어른이 지금 나타났다가는 아비처럼 매질당하는 걸 면치 못해. 그분은 우리한테 고마운 분이다. 서운한 마음 가지면 못써."

"책방 어른 때문에 아버지가 이렇게 된 거잖아요. 책방 어른이 아버지더러 천주학 책을 베끼라고 시킨 거잖아요. 그래 놓고 왜 도망가요? 왜 아버지만······ 죄 없는 아버지만······."

꽉 깨문 장이의 입술이 금방이라도 울음을 터뜨릴 것 같았다. 분하고 속상한 마음에 눈자위도 붉어졌다.

"책방 어른이 계셨어도 마찬가지다. 그분도 이 아비까지 잡혀갈 줄은 몰랐을 게다. 어차피 양반 세상이니 우리 같은 상놈은 큰 잘못 없어도 재수 없으면 끌려가 매질당할 수 있······쿨럭쿨럭······."

아버지는 말을 맺지 못하고 기침을 터뜨렸다.

"아버지, 아버지······. 예, 알았어요. 제발 아프지만 마세요."

장이는 누운 아버지 품에 쓰러져 어깨를 들썩였다. 이부자리가 축축하게 젖어 들었다. 아버지가 그런 장이를 쓸어안았다.

아버지는 관아에서 제 발로 걸어 나오지 못했다. 매질로 만신창이가 된 아버지를 등에 업어 집으로 데려온 것은 지물포 주인 오 씨였다. 평소 아버지는 종이를 사러 오 씨네 지물포에 자주 들렀다. 오 씨는 장이에게 아버지 병간호를 하라며 십 전을 쥐여 주고 간 뒤로 더 이상 오지 않았다. 대신 가끔 저잣거리에 나간 장이를 붙들고 아버지의 안부를 물으며 혀를 끌끌 찰 뿐이었다.

『책과 노니는 집』 이영서

① 저잣거리에서 장이의 아버지가 필사한 천주학 책을 몰래 팔아야 해서

② 장이의 아버지에게 자신이 십 전을 주었다는 사실을 알리고 싶지 않아서

③ 직접 찾아가는 것보다 편지로 소식을 주고받는 것이 더 마음이 편하여서

④ 장이의 아버지가 걱정이 되기는 하지만 천주학쟁이로 몰릴 것이 두려워서

⑤ 장이 아버지의 건강이 궁금하였지만 양반 체면에 필사쟁이의 집을 찾아갈 수는 없어서

인물 행동의 원인 파악하기

1 문제 파악하기

인물이 왜 그렇게 행동했는지 묻는 문제

2 글의 내용

· 장이 아버지가 천주학쟁이로 몰려 고문을 당함.

· 장이 아버지 주변 사람들은 천주학쟁이로 몰릴 것을 두려워함.

평가 영역 — 어휘

영역별 출제 문항 수: 3~4문항 / 30문항

분류	평가 영역
개념	• 동형어(형태는 같지만 뜻이 서로 다른 낱말) 찾기 • 동형어의 뜻 이해하기
관계	• 다의어(한 낱말이 여러 가지 뜻을 가진 낱말) 찾기 • 다의어의 뜻 파악하기 • 포함하는 낱말과 포함되는 낱말 알기
의미	• 낱말의 뜻 파악하기 • 고유어의 뜻 파악하기 • 상황에 맞는 관용 표현을 찾기 • 문맥을 고려하여 바꾸어 쓸 수 있는 낱말 찾기
확장	• 여러 낱말 중에서 같은 방법으로 만든 낱말 찾기(합성어와 파생어 구별하기) • 낱말이 만들어진 방법 파악하기

어휘의 주요 관계

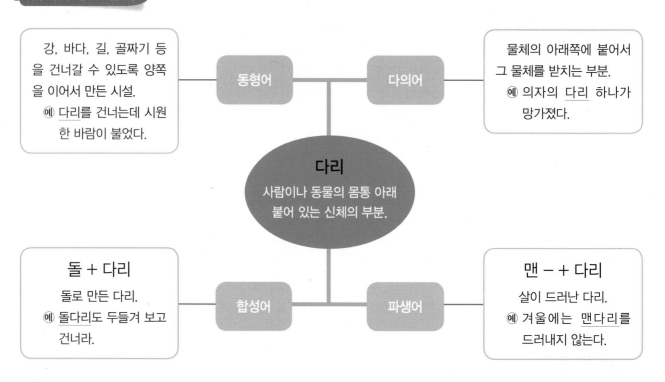

강, 바다, 길, 골짜기 등을 건너갈 수 있도록 양쪽을 이어서 만든 시설.
㉘ 다리를 건너는데 시원한 바람이 불었다.

동형어

다의어

물체의 아래쪽에 붙어서 그 물체를 받치는 부분.
㉘ 의자의 다리 하나가 망가졌다.

다리
사람이나 동물의 몸통 아래 붙어 있는 신체의 부분.

돌 + 다리
돌로 만든 다리.
㉘ 돌다리도 두들겨 보고 건너라.

합성어

파생어

맨 - + 다리
살이 드러난 다리.
㉘ 겨울에는 맨다리를 드러내지 않는다.

🏛 평가의 목적

[어휘] 평가 영역은 우리말의 기초가 되는 국어 낱말의 이해 · 활용 능력을 평가하기 위한 영역입니다.

[어휘] 는 듣기, 말하기, 읽기, 쓰기 등 모든 국어 활동의 바탕입니다. 일상에서 반복적으로 사용하며 저절로 습득하게 되는 어휘와 읽기를 통해 지식적으로 배우게 되는 어휘가 어휘력의 기초를 이룹니다.

[어휘] 평가 영역에서는 이러한 어휘의 의미를 어휘의 관계 속에서 정확하게 이해하고 구사할 수 있는지 평가하게 됩니다. 특히 초등 6학년 [어휘] 영역에서는 **동형어와 다의어를 구별하고 뜻을 파악할 수 있는지, 합성어와 파생어의 낱말 짜임을 이해하고 있는지를** 주로 평가합니다.

🏛 대표 질문 유형

- 다음 낱말과 같은 뜻으로 쓰인 낱말은?
- 다음 낱말과 바꾸어 쓸 수 있는 낱말은?
- 낱말의 관계가 다른 하나는?
- 같은 방법으로 만들어진 낱말은?
- 낱말의 의미로 바른 것은?

🏛 주요 평가 요소

- 동형어와 다의어의 뜻을 알고 있는가?
- 낱말의 여러 가지 의미를 구분할 수 있는가?
- 여러 낱말 사이의 관계를 파악할 수 있는가?
- 낱말의 뜻을 이해하고 있는가?
- 합성어와 파생어를 구별할 수 있는가?

개념

문장에서 낱말의 역할과 형태의 변화를 이해하며, 형태와 뜻이 비슷해 헷갈리는 낱말을 구별하여 사용할 수 있는지 평가하는 유형

1 '말다'가 다음 글의 **밑줄 그은 ㉠과 다른** 뜻으로 쓰인 문장은? ⸺⸺⸺ (   )

> 서양의 볶음국수와 달리 우리나라 국수는 양념장을 넣고 비벼 먹거나 국물을 내어 ㉠말아 먹는다. 우리나라 사람들이 가장 좋아하는 국수인 냉면의 조리법 또한 이 두 가지에서 크게 벗어나지 않는다.

① 할머니께서 말아 주신 국밥을 먹었다.
② 여러 종류의 시리얼을 우유에 말았다.
③ 김에 밥과 채소를 넣고 말아 먹는 김밥.
④ 그렇게 밥을 주스에 말았으니 어떡하니!
⑤ 입맛 없을 때는 밥 말아 먹는 게 최고지.

동형어의 뜻을 파악하기

1 문제 파악하기

동형어 중에서 다른 뜻으로 쓰인 낱말을 찾는 문제

2 문장의 내용 파악하기

㉠ 말다 : 밥이나 국수를 물이나 국물에 넣어서 풀다.

2 ①~⑤에서 밑줄 그은 '차다'가 다음 문장과 같은 뜻으로 쓰인 것은? ⸺ (   )

> 강당은 학생들로 차서 발 디딜 틈도 없었다.

① 바람이 차니 옷을 더 입어라.
② 그렇게 사람이 차니 친구가 없지.
③ 내가 제기를 못 차서 우리 편이 졌다.
④ 기저귀를 찬 아기가 뒤뚱뒤뚱 걷는다.
⑤ 지하실은 습기로 차고 퀴퀴한 냄새까지 났다.

낱말의 의미 구분하기

● 동형어 '차다'의 뜻
● 일정한 공간에 사람, 사물, 냄새 따위가 더 들어갈 수 없이 가득하게 되다.
● 몸에 닿은 물체나 대기의 온도가 낮다.

3 다음 (   ) 안에 공통으로 들어갈 낱말은? ⸺⸺⸺⸺⸺ (   )

> • 마른 나뭇가지가 불에 잘 (   ).
> • 친구가 버스에 (   ).

① 앉다   ② 타다   ③ 붙다
④ 적다   ⑤ 들다

유형 풀이 tip

동형어(형태가 같은 낱말)는 글자(형태)는 같지만 뜻이 서로 다른 낱말로, 국어사전에서도 각각 다른 낱말로 풀이되어 있습니다. 문장에서 동형어가 어떤 뜻으로 쓰였는지 살펴보는 것이 좋습니다.

관계

상의어와 하의어, 반의 관계 낱말, 유의 관계 낱말, 다의어의 개념과 뜻을 알고 알맞게 사용할 수 있는지 평가하는 유형

4 ①~⑤의 '살리다'가 다음 문장의 ㉠과 같은 뜻으로 쓰인 것은? ·········· (　　　)

> 작년에 학급 회장을 했던 기억을 ㉠살려 올해도 열심히 하겠습니다.

① 고장 난 시계를 살려 벽에 걸었다.
② 바탕색을 살려 분위기를 바꾸었다.
③ 사그라져 가는 불씨를 살려 장작을 태웠다.
④ 오늘은 옛날 사진들을 보면서 추억을 살려 볼까?
⑤ 죽어 가는 식물을 살려 주기 위해 물을 듬뿍 뿌려 주었다.

다의어의 뜻을 파악하기

1 문제 파악하기
다의어 중에서 같은 뜻으로 쓰인 낱말을 찾는 문제

2 문장의 내용 파악하기
'기억을 살리는 것'이 어떻게 하는 것인지 떠올리기

5 다음 낱말의 관계가 나머지 넷과 다른 하나는? ·········· (　　　)
① 꽃–국화
② 직업–교사
③ 덥다–춥다
④ 신발–운동화
⑤ 악기–현악기

낱말의 관계

● 뜻이 비슷한 낱말
● 뜻이 반대되는 낱말
● 포함하는 낱말과 포함되는 낱말

6 다음 밑줄 그은 낱말 중, ㉠과 같은 뜻으로 쓰인 것은? ·········· (　　　)

> 양 털가죽 옷 한 벌을 20년이나 입다 보니 지금은 죄다 ㉠해어져 버렸다.

① 돈 봉투가 닳아서 안에 있는 돈이 보였다.
② 건강한 몸을 유지하는 방법 중의 하나는 운동이다.
③ 훼손된 자연을 살리기 위해서는 모두의 노력이 필요하다.
④ 독서에 몰두하느라 아버지께서 부르시는 소리도 듣지 못했다.
⑤ 어릴 때부터 돋보이던 그림 솜씨를 가졌던 친구는 만화가가 되었다.

유형 풀이 tip

한 낱말이 여러 가지 뜻을 가진 다의어, 포함되는 낱말과 포함하는 낱말, 뜻이 비슷하거나 반대되는 관계의 낱말 등을 알아 두는 것이 좋습니다.

의미 · 확장

글에 쓰인 낱말의 의미를 파악하거나 합성어나 파생어의 짜임을 알고 알맞게 사용할 수 있는지 평가하는 유형

7 다음 대화의 내용으로 미루어 보아, 밑줄 그은 '눈시울'의 뜻으로 알맞은 것은? ( )

> 지원: 수민아, 너 '눈시울'이 무슨 뜻인지 아니?
> 수민: 눈시울? '시울'은 '약간 굽거나 휜 부분의 가장자리'를 뜻해. 그럼 '눈시울'의 뜻은 무엇일까?

① 눈썹의 윗부분
② 눈과 눈 사이의 거리
③ 눈에 잘 보이지 않는 부분
④ 눈언저리의 속눈썹이 난 곳
⑤ 귀와 눈 사이의 맥박이 뛰는 곳

낱말의 뜻을 파악하기

1 문제 파악하기
고유어의 뜻을 파악하는 문제

2 문장의 내용 파악하기
'시울'의 뜻을 바탕으로 '눈시울'의 뜻을 생각하여 보기

8 다음 대화의 밑줄 그은 부분과 같이 단위를 나타내는 낱말과 그 개수가 알맞게 짝 지어지지 <u>않은</u> 것은? ( )

> 아빠: 예전에 아빠가 오징어를 정말 좋아해서 이틀 동안 오징어 한 축을 다 먹은 적도 있단다.
> 엄마: 정말요? 한 축을? 설마…….
> 딸: <u>한 축이 몇 마리인데요?</u>
> 엄마: 놀라지 마. <u>스무 마리</u>란다.
> 딸: 우아, 스무 마리요? 아빠께서는 정말 오징어를 좋아하시는구나.

① 김 한 톳 – 김 100장
② 바늘 한 쌈 – 바늘 24개
③ 마늘 한 접 – 마늘 100개
④ 조기 한 두름 – 조기 20마리
⑤ 고등어 한 손 – 고등어 3마리

9 다음 낱말과 같은 방법으로 만들어진 낱말을 짝 지은 것은? ( )

> 부채질

① 논밭, 군소리
② 고무신, 봄비
③ 풋과일, 논밭
④ 풋과일, 군소리
⑤ 고무신, 군소리

파생어와 합성어

● **파생어**
뜻을 더해 주는 말과 뜻이 있는 낱말을 합한 낱말
● **합성어**
뜻이 있는 두 개 이상의 낱말을 합한 낱말

HME 🐝 국어 학력평가

실전 모의고사

- 〈HME 국어 학력평가〉 평가 영역 완벽 분석
- 〈HME 국어 학력평가〉 대표 유형 중심 반영
- 〈HME 국어 학력평가〉 다양한 출제 유형 제시

1 회

2 회

3 회

4 회

실전 모의고사 1회

[01~02] 다음 면담 내용을 읽고 물음에 답하시오.

> 학생들: 안녕하세요? 소방관님!
>
> 서우: 저는 6학년 이서우입니다. 이렇게 시간을 내 주셔서 고맙습니다. 지난주에 말씀드린 대로 저희 모둠에서는 소방관님께서 하시는 일과 보람 있었던 일에 대하여 궁금하였던 점들을 알아보기로 하였습니다.
>
> 소방관: 저도 여러분과 만나서 반가워요.
>
> 소율: 소방관님께서는 불을 끄는 일을 하시는 분인데 구체적으로 어떤 일을 하시는지 알고 싶습니다.
>
> 소방관: 소방관이 하는 일에는 대표적으로 화재 진압이 있지요. 그리고 홍수나 지진 같은 자연재해가 일어났을 때 사람을 구조하는 일도 하지요. 응급 환자가 발생했을 때 빠르게 출동하여 응급 처치 후 병원으로 이송하는 일도 소방관이 하는 일이랍니다.
>
> 도윤: 소방서에 장난 전화는 하루에 몇 통이나 오나요?
>
> 소방관: 글쎄요. 세어 보지 않아서 잘 모르겠네요.

01 면담 내용으로 보아 서우네 모둠이 면담 전에 한 일은? ·········· ( )

① 면담의 내용을 기록하였다.

② 소방관에게 연락하여 면담 약속을 하였다.

③ 면담 내용을 정리하여 발표 자료를 만들었다.

④ 모둠원들끼리 역할을 정해 모의 면담을 하였다.

⑤ 면담 질문지를 소방관에게 전달하여 대답 내용을 전자 우편으로 받았다.

02 면담 주제를 파악하여 도윤이의 질문을 알맞게 바꾼 것은? ·········· ( )

① 왜 소방관이 되셨나요?

② 가장 힘들었던 현장은 어떤 곳이었나요?

③ 소방관으로서 보람 있었던 일은 무엇인가요?

④ 소방관이 되기 위하여 어떤 과정을 거쳐야 하나요?

⑤ 소방관이라는 직업의 앞으로의 전망은 어떠한가요?

[03~04] 다음 지하철 안내 방송을 읽고 물음에 답하시오.

> 이번 정차할 역은 ○○역입니다. 내리실 문은 왼쪽입니다. □호선으로 갈아타실 분은 이번 역에서 하차하시기 바랍니다. 두고 내리는 물건이 없는지 잘 살펴보시기를 바랍니다. 이번 역은 열차와 승강장 사이가 넓으니 발 빠짐에 주의하십시오. 스크린 도어가 열립니다.

03 승객들이 안내 방송을 듣고 알 수 있는 것으로 알맞지 <u>않은</u> 것은? ──────── (   )

① 열차의 종착역
② 정차하는 역의 이름
③ 열차 승하차 시 주의할 점
④ 정차하는 역에서 갈아탈 수 있는 노선
⑤ 정차하는 역에서 열차의 문이 열리는 쪽

04 | 보기 |에서 〈가로 열쇠 3.〉에 들어갈 낱말로 알맞은 것은? ──────── (   )

┤ 보기 ├

		1.
2.		
3.	4.	

〈세로 열쇠〉
1. 조선 시대 한양의 남쪽 정문. '남대문'이라고도 함.
2. 바다와 육지가 맞닿은 부분. 바닷가.
4. 나라와 나라가 힘을 이용하여 싸움.

〈가로 열쇠〉
3. 지하철 승강장에 설치된 안전시설의 하나. '스크린 도어'의 순화어.

① 안전문   ② 안전선   ③ 안전핀
④ 안전원   ⑤ 안전기

[05~06] 다음 글을 읽고 물음에 답하시오.

> 나눔아파트 주민 여러분, 안녕하십니까?
>
> 주민 여러분께 부탁드릴 것이 있습니다. 아파트에서 반려동물을 <u>기르지</u> 말아 주십시오.
>
> 요즈음 우리 아파트에 반려동물을 기르는 집이 많아지고 있습니다. 그러나 아파트에서 반려동물을 기르면 여러 가지 문제가 발생합니다.
>
> 첫째, 반려동물이 내는 소리가 이웃에게 피해를 줄 수 있습니다. 주인에게는 사랑스러운 소리일지 몰라도 다른 사람에게는 그렇지 않을 수 있습니다.
>
> 둘째, 반려동물의 털에 기생충이나 병원균이 있을 수도 있으며, 어떤 사람들은 동물의 털에 과민 반응을 일으키기도 합니다.
>
> 셋째, 반려동물의 배설물을 잘 치우지 않거나 아파트 꽃밭 등에 버리면 해충이나 병원균이 발생하여 사람이나 동물에게 질병을 일으킬 수 있습니다.

05 이 글에서 근거로 내세운 것에 반론할 수 있는 근거로 알맞지 <u>않은</u> 것은? ·············· (   )

① 반려동물의 털을 깨끗하게 관리한다.

② 반려동물 성대 제거 수술을 법으로 의무화해야 한다.

③ 정기적으로 동물 병원을 다녀서 기생충이나 병원균 관리를 하면 된다.

④ 아파트 꽃밭에 배설물을 버릴 경우 벌금을 내게 하는 자치 규약을 만든다.

⑤ 반려동물 주인이 배변 봉투에 반려동물의 배설물을 담아 잘 처리하면 된다.

06 이 글에서 밑줄 그은 '기르지'와 같은 뜻으로 쓰인 '기르다'가 있는 문장은? ·············· (   )

① 머리를 길러서 묶고 다녀야겠다.

② 약속 시각을 지키는 습관을 기르렴.

③ 체력을 기르려면 운동을 하는 것이 좋다.

④ 화초를 기르는 데에는 많은 노력이 필요하다.

⑤ 병을 기르면 치료하기 어려우니 빨리 병원에 가야 한다.

07 다음 글을 읽고 추론한 내용으로 알맞지 <u>않은</u> 것은? ⸺⸺⸺⸺⸺⸺ (   )

고인돌

　고인돌은 청동기 시대의 무덤 형식으로, 받침돌을 몇 개 둘러 세우고 그 위에 넓적한 덮개돌을 덮어서 만든다. 덮개돌의 무게는 수십 톤에서 수백 톤에 이른다. 고인돌은 크게 북방식 고인돌과 남방식 고인돌로 나눌 수 있다.

　북방식 고인돌은 받침돌을 세운 후에 땅 위에 시신을 놓고 그 위에 덮개돌을 덮는다. 그 모습이 마치 탁자 모양 같아서 북방식 고인돌을 탁자식 고인돌이라고도 한다.

　남방식 고인돌은 바둑판식 고인돌이라고도 한다. 북방식 고인돌과 달리 4개의 낮은 받침돌로 거대한 덮개돌을 고여 마치 바둑판 모양처럼 만든다. 그리고 땅 위에 시신을 놓는 북방식과 달리 땅을 파고 시신을 묻는다. 남방식 고인돌은 한반도 중부 이남 지역에서 주로 보인다.

① 고인돌은 주로 지배자의 무덤이다.
② 고인돌을 만들려면 많은 노동력이 필요했다.
③ 고창 고인돌 유적지에는 모두 북방식 고인돌만 있다.
④ 북방식 고인돌은 한반도 중부 이북 지역에서 주로 보인다.
⑤ 북방식 고인돌의 받침돌이 남방식 고인돌의 받침돌보다 크다.

08 다음 문장의 밑줄 그은 곳을 알맞게 띄어 쓴 것은? ⸺⸺⸺⸺⸺⸺ (   )

① <u>살것이</u> 없다.
② <u>아침겸</u> 점심을 먹었다.
③ <u>홍길동씨</u> 앞으로 나오세요.
④ 집 앞에 차 <u>한대가</u> 세워져 있다.
⑤ 비가 <u>올 듯하니</u> 우산을 가져가렴.

09 다음 글의 설명 방식과 같은 방법으로 설명할 수 있는 것은? ································· (   )

소금은 맛뿐만 아니라 생명을 유지하는 데에도 꼭 필요하다. 사람은 혈액 속 염분 농도가 0.9퍼센트 정도로 유지되어야만 살 수 있다. 염분은 몸 안의 독소와 염증을 없애고 피를 깨끗하게 만드는 역할을 한다. 혈액에 염분이 부족하면 무기력해지고, 심할 경우 생명을 잃을 수도 있다. 그래서 땀을 많이 흘린 후에는 소금을 적당히 섭취해야 한다.

우리는 흔히 소금을 바다에서 얻는다고 생각한다. 우리나라의 경우 바다에서 소금을 얻기 때문이다.

우리나라에서처럼 갯벌에 바닷물을 가두고 태양광에 증발시켜 얻은 소금을 천일염이라고 한다. 천일염을 얻으려면 갯벌이 있어야 하고 물이 빨리 증발되는 덥고 건조한 기후여야 하는데 세계적으로 그런 조건을 갖춘 곳은 많지 않다. 그래서 전 세계의 소금 생산량 중에서 바다에서 얻는 것은 3분의 1 정도밖에 되지 않는다. 멕시코, 오스트레일리아, 지중해 연안 등에서 천일염을 많이 생산한다.

세계의 많은 나라들은 소금을 돌에서 얻고 있다. 소금이 굳어서 만들어진 돌을 '암염'이라고 한다. 소금 광산을 만들어서 이 암염을 캐낸 뒤에 갈아서 소금 알갱이를 얻을 수 있다. 루마니아의 슬러닉 소금 광산, 폴란드의 비엘리츠카 소금 광산, 오스트리아의 할슈타트 소금 광산 등이 유명하다. 광산에서 돌을 캐지 않고도 암염에서 소금을 얻는 방법도 있다. 암염 지대에 구멍을 뚫고 물을 넣은 뒤에 소금물을 퍼 올린 후 이를 끓여서 소금을 얻는 것이다.

천일염이든 암염이든 어디서 나는 어떤 종류의 소금인지에 따라 짠맛의 정도와 미네랄 함량에 차이가 있다. 하지만 모두 화학적으로는 염화 나트륨이 주성분이라는 것은 같다.

① 컴퓨터의 구조
② 내 짝의 얼굴 생김새
③ 제주도 여행을 갔을 때 겪은 일
④ 야구와 축구의 공통점과 차이점
⑤ 태극기의 태극 문양과 사괘에 담긴 뜻

비 오는 날 우산 바르게 써야 사고 위험 준다

진행자: 비가 오는 날에 길을 걸을 때 우산을 앞으로 숙인 채 걸은 적이 있으시지요? 이렇게 걸으면 앞이 잘 보이지 않아 사고의 위험이 높아진다고 합니다. 우산을 바르게 사용하는 방법을 ○○○ 기자가 알아보았습니다.

기자: 비가 오는 날, 어느 초등학교 앞의 횡단보도입니다. 비를 맞지 않으려고 우산으로 앞을 가리고 걷는 어린이가 많습니다.

기자: 우산으로 앞을 가리고 가면 불편하지 않아요?

어린이: 괜찮아요. 우산을 세우고 가면 비를 더 많이 맞잖아요. 그런데 이렇게 우산을 앞으로 숙이면 비를 덜 맞아요.

운전자: 우산으로 앞을 가리고 방향도 제대로 못 잡고 걸어가는 어린이들을 보면 사고가 날까 봐 가슴이 철렁해요.

기자: 우산을 앞으로 숙이고 걷게 되면 앞이 잘 보이지 않아 사고의 위험이 높아집니다. 경찰청 발표에 따르면 어린이 교통사고가 장마철에 많았다고 합니다. 우산을 쓰고 안전하게 걷기 위한 방법을 알아보겠습니다.

경찰관: 우산을 쓸 때에는 약간 뒤로 뉘어서 앞이 잘 보이도록 해야 합니다. 그리고 우산의 위아래를 두 손으로 잡아서 우산이 흔들리지 않게 해야 합니다.

우산 제조업자: 투명한 우산을 사용하면 우산을 앞으로 숙이더라도 앞을 볼 수 있어서 좋습니다. 그리고 밝은색 우산을 사용하면 운전자의 눈에 잘 띄어 교통사고를 예방하는 효과도 있습니다.

10 이 뉴스에서 다루고 있는 내용으로 알맞지 <u>않은</u> 것은? ⸺⸺⸺⸺⸺ (   )

① 어린이 교통사고는 장마철에 많이 발생한다.

② 비가 올 때에는 우산을 약간 뒤로 뉘어서 쓰는 것이 좋다.

③ 우산의 위아래를 두 손으로 잡아서 우산이 흔들리지 않게 해야 한다.

④ 비가 많이 오는 날에도 작은 우산을 쓰는 것이 교통사고 예방에 좋다.

⑤ 비가 오는 날에 어린이들은 투명한 우산이나 밝은색 우산을 쓰는 것이 좋다.

11 이 뉴스에 대한 설명으로 알맞은 것은? ⸺⸺⸺⸺⸺⸺⸺⸺ (   )

① 기자의 보도 부분에 면담 자료를 포함하였다.

② 기자의 마무리 부분에서 뉴스 내용을 끝맺었다.

③ 진행자의 도입에서 내용을 자세하게 보도하였다.

④ 기자가 뉴스에서 보도할 내용을 유도하여 안내하였다.

⑤ 운전자의 면담 내용을 보면 비 오는 날 우산을 바르게 쓰는 방법을 알 수 있다.

12 다음 공익 광고에 대한 설명으로 알맞은 것을 |보기|에서 모두 고른 것은? ·················· (   )

「중형차 백만 대를 버렸다」 한국방송광고진흥공사

┤ 보기 ├
가. 공익 광고의 주제는 '음식물 쓰레기를 줄이자.'이다.
나. 음식물 쓰레기가 환경을 오염시키는 세 가지 예를 제시하였다.
다. 한 해에 버려지는 음식물 쓰레기를 중형차 백만 대와 비교했다.
라. 마지막 장면에서는 지향해야 하는 음식 문화를 사진으로 보여 주었다.
마. 자동차가 바다에 떨어지는 장면은 음식물 쓰레기를 버리는 장면과 비슷하다.

① 가, 나, 다   ② 가, 라, 마   ③ 나, 다, 마
④ 다, 라, 마   ⑤ 가, 다, 마

13 다음 내용이나 도표를 보고 알 수 있는 사실로 알맞지 <u>않은</u> 것은? ──────────── (   )

교통 안전 관련 연구소의 연구 결과를 살펴보면 운전 중이나 보행 중 휴대 전화 사용에 따른 사고 위험성이 높은 것으로 나타났다. 그렇지만 최근 발표된 한국교통안전공단의 조사에 따르면 운전자나 보행자 중의 다수가 여전히 운전 중이나 보행 중에 휴대 전화를 사용하고 있다고 한다. 다음 도표를 살펴보자.

〈휴대 전화 관련 교통사고 발생〉

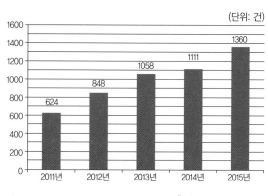

■ 출처: 국민안전처, 2016.

운전 중이나 보행 중에 휴대 전화를 사용하는 것은 주의를 분산시켜 전방 주시율 및 지각 능력을 떨어뜨린다. 이에 따른 교통사고 예방을 위해 횡단보도에서 휴대 전화 화면이 꺼지게 하는 안전 애플리케이션, 센서로 사람을 감지하여 음성 안내를 하는 신호등, 바닥에 엘이디 (LED) 신호등을 설치하는 방법 등이 검토되거나 시행되기도 한다. 그러나 무엇보다 중요한 것은 운전 중인 사람은 가급적 휴대 전화를 사용하지 않는 것이다. 보행 중인 사람도 마찬가지로 자신의 안전을 위해 휴대 전화 사용을 자제해야 하며 특히 길을 건널 때에는 휴대 전화를 절대 사용하지 않는 습관을 길러야 한다.

① 휴대 전화 관련 교통사고가 점점 늘어나고 있다.
② 운전 중 휴대 전화 사용은 교통사고 위험을 높인다.
③ 외국의 교통 표지판처럼 우리나라의 교통 표지판을 개선해야 한다.
④ 휴대 전화 사용으로 생긴 교통사고가 2013년 이후 1년에 1000건이 넘는다.
⑤ 보행 중 휴대 전화 사용을 경고하는 교통 표지판 설치가 보행 중 교통사고 발생을 줄일 수 있다.

[14~15] 다음 글을 읽고 물음에 답하시오.

2004년 아테네 올림픽 마라톤 경기에서 ㉠믿을 수 없는 일이 일어났다. 브라질의 리마 선수가 1위로 달리고 있을 때 한 관객이 갑자기 달려들어 리마 선수를 밀쳤다. 리마 선수는 다시 일어나서 달렸지만 자전거에 부딪히고야 말았다. 결국 달리기의 흐름을 완전히 잃게 되면서 다른 선수들에게 점점 밀리게 되었다.

그렇지만 ㉡리마 선수는 포기하지 않고 끝까지 달렸다. 결승점에 들어설 때의 리마 선수의 모습은 화가 나거나 지친 표정이 아니었다. ㉢리마 선수는 두 팔을 활짝 벌리고 환한 표정으로 들어와서 3위로 동메달을 받았다. 경기가 끝난 후 ㉣리마 선수는 자신을 밀친 관객을 용서하겠다고 말하였다. 국제 올림픽위원회는 리마 선수에게 동메달 외에 '쿠베르탱 메달'을 수여하였다. 쿠베르탱 메달은 ㉤경기 성적과 관계없이 운동선수가 갖추어야 할 마음가짐을 보여 준 선수에게 주는 메달이다.

14 글쓴이의 관점을 알 수 있는 표현으로 알맞지 <u>않은</u> 것은? ⸻ ( )

① ㉠ ② ㉡ ③ ㉢ ④ ㉣ ⑤ ㉤

15 글쓴이의 관점으로 알맞은 것은? ⸻ ( )

① 리마 선수에게 금메달을 주어야 한다.
② 리마 선수는 올림픽 정신을 보여 주었다.
③ 리마 선수를 밀친 관객에게 벌을 주어야 한다.
④ 올림픽 경기의 의의는 좋은 성적을 얻는 것이다.
⑤ 쿠베르탱 메달은 모든 선수들에게 수여되어야 한다.

[16~17] 다음 글을 읽고 물음에 답하시오.

> 우리가 사용하고 있는 낱말은 고유어, 한자어, 외래어로 분류할 수 있다.
>
> 고유어는 우리말에 본디부터 있던 낱말이나 그것을 바탕으로 하여 새로 만들어진 낱말을 일컫는다. 고유어는 우리말의 기본 바탕을 이루고 있다.
>
> 한자어는 한자를 바탕으로 하여 만들어진 낱말이다. 삼국 시대에 사람 이름, 땅 이름 등을 한자로 표기하면서 한자어가 많이 생기게 되었다. 고려 시대 이후에는 일상어까지 한자어가 대신하면서 우리말의 절반 이상을 차지하게 되었다. 새로 생겨난 한자어는 고유어를 밀어내기도 하였다.
>
> 외래어는 [㉠]
> 다른 나라의 문화나 문물이 들어오면서 외래어도 함께 들어온다. 외래어는 고유어가 설 자리를 빼앗기도 한다.

16 ㉠ 에 들어갈 내용으로 알맞은 것은? ⸺⸺⸺⸺⸺⸺⸺⸺⸺ ( )

① 영어만 해당된다.

② 고유어와 함께 쓰이는 낱말이다.

③ 특정 지역에서만 쓰이는 낱말이다.

④ 교양 있는 사람들이 두루 쓰는 낱말이다.

⑤ 다른 나라의 말이 들어와서 우리말처럼 쓰이는 낱말이다.

17 이 글을 읽고 추론할 수 있는 내용으로 알맞지 않은 것은? ⸺⸺⸺⸺ ( )

① 나라 사이의 교류에 따라 외래어를 쓰게 되었다.

② 외래어를 많이 써야 우리말의 표현력이 풍부해진다.

③ 고유어는 우리가 남달리 여기고 사랑하는 마음을 가져야 한다.

④ 우리말의 낱말 가운데에서 한자어와 외래어를 뺀 말이 고유어이다.

⑤ 고유어, 한자어, 외래어 중에서 가장 많은 비중을 차지하는 것은 한자어이다.

[18~19] 다음 박지원이 쓴 편지를 읽고 물음에 답하시오.

> 아이들에게
>
> 나는 고을 일을 하는 틈틈이 한가로울 때면 때때로 글을 짓거나 혹 법첩을 놓고 글씨를 쓰기도 하거늘 너희는 해가 다 가도록 무슨 일을 하느냐? 나는 4년간 『강목』을 골똘히 봤다. 두어 번 빠짐없이 읽었지만 나이가 들어 책을 덮으면 문득 잊어버리는지라 어쩔 수 없이 필요한 대목만을 뽑아 써서 작은 책을 만들었는데 아주 필요한 것은 아니었다. 그렇기는 하나 재주를 펴 보고 싶어 그만둘 수가 없었다. 너희가 하는 일 없이 날을 보내고 어영부영 해를 보내는 걸 생각하면 몹시 안타깝다. 한창때 이러면 노년에는 어쩌려고 그러느냐? 웃을 일이다, 웃을 일이야.
>
> 고추장 작은 단지 하나를 보내니 사랑방에 두고 밥 먹을 때마다 먹으면 좋을 게다. 내가 손수 담근 건데 아직 푹 익지는 않았다.
>
> 「아이들에게」 박지원 글, 박희병 옮김

18 이 글의 내용을 파악한 것으로 알맞지 <u>않은</u> 것은? ⸻⸻⸻⸻ (   )

① 당시에는 선비들이 집안일을 하는 것을 자랑스럽게 여겼다.
② 글쓴이는 아이들이 하는 일 없이 날을 보내는 것을 걱정한다.
③ 글쓴이는 아이들이 젊은데도 부지런히 움직이지 않는 것을 걱정한다.
④ 글쓴이는 평소에 글을 짓거나 법첩을 놓고 글씨를 쓰는 것을 즐겨 한다.
⑤ 글쓴이는 아이들에게 한창때 시간을 낭비하지 말라고 당부하려고 한다.

19 이 글에서 밑줄 그은 '어영부영'을 넣어 문장을 쓴 것으로 알맞은 것은? ⸻⸻⸻⸻ (   )

① 용돈 받은 것을 <u>어영부영</u> 다 써 버렸다.
② <u>어영부영</u> 보낸 삶에서 그는 많은 일을 하였다.
③ 탑을 <u>어영부영</u> 쌓아야 나중에 허물어지지 않는다.
④ <u>어영부영</u> 시간을 보내니 나중에 좋은 결과가 돌아왔다.
⑤ 친구는 방학 계획표를 세워 <u>어영부영</u> 시간을 알차게 보냈다.

20 다음 이야기에서 임금이 말한 '인생의 성공 비결'을 알맞게 추론한 것은? ·············· (   )

옛날에 한 청년이 있었다. 청년은 하는 일마다 잘되지 않았고 그래서 늘 불평불만이 많았다. 청년이 사는 나라에는 임금이 있었다. 임금이 나라와 백성을 위해 하는 일은 늘 잘되었고 그래서 백성들은 임금을 칭찬하였다. 청년은 임금이 하는 일마다 성공하는 까닭이 무엇인지 궁금했다. 그 까닭을 알기만 하면 청년도 무슨 일이든 잘 해낼 수 있을 것 같았다.

청년은 어렵사리 임금을 찾아갔다. 간신히 임금을 만난 청년은 간청하였다.

"임금님, 저는 하는 일마다 늘 실패만 하였습니다. 저에게 인생의 성공 비결을 가르쳐 주십시오."

임금은 말없이 청년을 바라보며 한참을 생각하였다. 그러더니 신하에게 포도주 병과 잔을 가져오라고 명령하였다. 신하가 포도주 병과 잔을 가져오자 임금은 잔에 포도주를 가득 따랐다. 그러고는 청년에게 잔을 건네주며 말하였다.

"이 포도주 잔을 들고 시내를 한 바퀴 돌고 오면 성공 비결을 가르쳐 주겠다."

말을 마치고 임금은 별안간 큰 소리로 군인을 한 명 불렀다.

"이 청년이 저 포도주 잔을 들고 시내를 한 바퀴 도는 동안 너는 그의 뒤를 따르라. 만약 저 청년이 저 포도주를 엎지를 때에는 그의 목을 내리쳐라!"

청년은 시내를 향해 출발했다. 청년은 포도주가 가득 담긴 잔이 흔들리지 않도록, 그래서 포도주를 흘리지 않도록 하는 일에만 집중했다. 포도주를 한 방울이라도 흘렸다가는 인생의 성공 비결은커녕 목숨을 잃을 수도 있었기 때문이었다.

청년은 땀을 흘리며 포도주 잔을 들고 포도주를 엎지르지 않고 시내를 한 바퀴 돌아 왔다. 임금은 청년에게 물었다.

"시내를 돌며 무엇을 보았느냐, 어떤 사람들이 있었느냐. 사람들은 어떤 이야기를 나누고 거리에서는 어떤 소리가 들리더냐?"

청년이 대답하였다.

"포도주를 흘리지 않게 하느라 아무것도 보지도 못하고 듣지도 못하였습니다."

그러자 임금은 큰 소리로 다시 물었다.

"너는 거리에 있는 사람도, 장사꾼도 못 보고, 거리에서 노래하는 것도 못 들었다는 말이냐?"

청년은 다시

"네, 저는 아무것도 보지도, 듣지도 못하였습니다."

라고 대답하였다. 그랬더니 임금은 말하였다.

"그렇다. 이것이 네 인생의 성공 비결이다."

① 어떤 일이든 시작을 해야 한다.

② 일과 휴식을 적절하게 나누어 해야 한다.

③ 잘 아는 일이라도 세심하게 주의해야 한다.

④ 자신이 하는 일에 긍지와 자부심을 가져야 한다.

⑤ 목표를 확고하게 세우고 그 일에만 집중해야 한다.

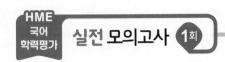

[21~22] 다음 글을 읽고 물음에 답하시오.

㉮ "덕진이라는 아가씨의 곳간에는 쌀이 수백 석이나 있으니, 일단 거기서 쌀을 꾸어 계산하고 이승에 나가서 갚도록 해라."

저승사자가 원님에게 제안했다. 결국 원님은 덕진의 곳간에서 쌀 삼백 석을 꾸어 셈을 치를 수 있었다.

원님은 저승사자를 쫓아 얼마쯤 갔다. 드디어 이승 문 앞에 이르렀다.

저승사자는 그 문을 열며

"이 컴컴한 데로만 들어가면 이승으로 나갈 수 있다. 속히 나가거라."

하면서 원님을 문밖으로 밀쳤다.

원님이 깜짝 놀라 정신을 차려 보니, 그곳은 바로 이승이었다.

〈중간 생략〉

원님은 며칠 뒤에 달구지에 쌀 삼백 석을 싣고 덕진의 주막을 찾아갔다. 주모가 호들갑스럽게 원님을 맞이하였다.

"주모의 딸을 좀 불러 주게."

"아니, 소인의 딸은 무슨 일로……."

"해코지하려는 게 아니니 염려 말게."

잠시 뒤, 덕진은 마당에 나와 원님 앞에 다소곳이 섰다.

"너에게 빚진 쌀 삼백 석을 갚으러 왔느니라."

그러자 덕진은 어리둥절해하며 원님을 쳐다보았다.

"하여튼 받아 두어라. 먼 훗날, 너도 알게 될 것이니라."

㉯ 저승사자: (손으로 덕진의 곳간을 가리키며) 덕진이라는 아가씨의 곳간에는 쌀이 수백 석이나 있으니, 일단 거기서 쌀을 꾸어 계산하고 이승에 나가서 갚도록 해라.

원님: (머리를 조아리며) 그렇게 하겠습니다.

저승사자와 원님이 이승 문 앞에 선다.

저승사자: (이승 문을 열며) 이 컴컴한 데로만 들어가면 이승으로 나갈 수 있다. 속히 나가거라.
    (원님을 문밖으로 밀친다.)

원님: (허둥대며 문밖으로 나와 깜짝 놀라) 내가 이승으로 돌아왔구나!

〈중간 생략〉

원님이 달구지에 쌀 삼백 석을 싣고 와 주막 앞에 선다. 주모가 호들갑스럽게 뛰어나온다.

원님: (온화한 목소리로) 주모의 딸을 좀 불러 주게.

주모: (㉠   ) 아니, 소인의 딸은 무슨 일로…….

원님: (소리 내어 웃으며) 해코지하려는 게 아니니 염려 말게.

덕진은 무대로 나와 원님 앞에 선다.

원님: 너에게 빚진 쌀 삼백 석을 갚으러 왔느니라.

덕진: (㉡   ) 무슨 말씀이신지……. 저는 원님께 쌀을 빌려 드린 적이 없습니다.

원님: 하여튼 받아 두어라. 먼 훗날 너도 알게 될 것이니라.

21 글 ㈎와 ㈏에 대한 설명으로 알맞지 않은 것은? ⸺⸺⸺⸺⸺⸺⸺⸺⸺ (　　)

① 글 ㈎는 인물, 사건, 배경으로 구성된다.

② 글 ㈏는 해설, 대사, 지문으로 구성된다.

③ 글 ㈏는 연극 상연을 위한 목적으로 쓴다.

④ 글 ㈎는 인물의 대화를 통해서만 사건 진행을 알 수 있다.

⑤ 글 ㈏에서 (　　) 안의 내용은 인물의 표정이나 몸짓을 지시한다.

22 ㉠과 ㉡에 들어갈 내용이 알맞게 짝 지어진 것은? ⸺⸺⸺⸺⸺⸺⸺⸺ (　　)

	㉠	㉡
①	겁먹은 표정으로 뒤로 물러서며	배를 잡고 구르며
②	몸을 부르르 떨며	소리 내어 웃으며
③	화가 난 표정으로	머뭇머뭇 망설이며
④	온화한 미소를 지으며	고개를 끄덕이며
⑤	걱정스러운 표정으로	고개를 갸우뚱하며

[23~24] 다음 시를 읽고 물음에 답하시오.

눈

윤동주

지난밤에
눈이 소복이 왔네

지붕이랑
길이랑 밭이랑
추워한다고
덮어 주는 이불인가 봐

그러기에
추운 겨울에만 내리지

23 이 시에 대한 설명으로 알맞지 <u>않은</u> 것은? ·········· (　　)

① 계절적 배경은 겨울이다.
② 눈을 이불에 빗대어 표현하였다.
③ 말하는 이는 눈을 따뜻한 느낌으로 표현하였다.
④ '~이랑'이라는 말을 반복하여 사용해 운율이 느껴진다.
⑤ 말하는 이는 눈이 세상의 모든 더러움을 덮어 준다고 생각하였다.

24 이 시를 읽고 떠오르는 장면은? ·········· (　　)

① 눈이 지붕, 길, 밭에 많이 쌓인 모습
② 아이가 눈에 흙을 뿌려 더럽히는 모습
③ 눈이 녹아서 물길을 만들며 흘러가는 모습
④ 새벽에 눈 쌓인 길을 걸어가는 사람의 뒷모습
⑤ 눈이 불꽃놀이를 하듯이 흩날리며 내리는 모습

[25~26] 다음 글을 읽고 물음에 답하시오.

> 하루 세끼 가운데에서 가장 중요한 것이 아침밥이다. 부모님께서는 건강하려면 아침밥을 먹어야 한다고 ⊙말한다. 비록 ⓛ한 끼라서 아침밥을 거르거나 대충 때우면 온종일 열량과 영양소가 부족해 건강을 잃게 된다. 아침밥을 거르면 영양소가 부족해 몸도 마음도 힘들어진다. 그렇다면 아침밥을 먹어야 하는 까닭은 무엇일까?
>
> 아침밥은 장수의 필수 조건이다. 날마다 아침밥을 거르면 밤새 분비된 위산이 중화되지 않아 위가 불편해진다. 이런 습관이 오래 지속되면 위염이나 위궤양으로 진행될 수 있다. 또 밤새 써 버린 수분을 보충하기 어렵고 체내에 저장해 두었던 영양소가 소모된다. 그래서 피부는 푸석푸석해지고 주름에 빈혈까지 생겨 건강이 나빠진다.
>
> 아침밥을 먹으면 몸도 건강해지고 하루를 활기차게 시작할 수 있다. 우리 모두 아침밥을 거르지 말고 꼭 먹자.

25 ⊙을 알맞게 고쳐 쓴 것은? ( )

① 말하였다   ② 말씀하신다
③ 말할 것이다   ④ 말씀하실 것이다
⑤ 말하였을 수 있다

26 ⓛ을 알맞게 고쳐 쓴 것은? ( )

① 한 끼라면   ② 한 끼만이
③ 한 끼가 아닌   ④ 한 끼일지라도
⑤ 한 끼이기 때문에

27 다음 글에서 '딱다구리'는 '딱따구리'로 고쳐 써야 합니다. 이처럼 낱말의 바른 표기와 틀린 표기가 알맞게 짝 지어지지 <u>않은</u> 것은? ·······················(   )

> 오늘은 부모님과 함께 동물원에 놀러 갔다. 동물원에는 여러 종류의 동물이 많았다. 사자, 코끼리 등 큰 동물도 많았지만 작은 동물도 많았다. 오랑우탄은 사람과 비슷하여 신기하였다. 숲속으로 들어가니 <u>딱다구리</u> 소리가 들렸다. 저녁에는 반딧불이까지 볼 수 있었다.

	바른 표기	틀린 표기
①	떡볶이	떡뽀끼
②	쭈꾸미	주꾸미
③	육개장	육계장
④	명란젓	명난젓
⑤	도롱뇽	도룡뇽

28 다음은 쓸 내용을 떠올려 생각 그물로 정리한 것입니다. 알맞지 <u>않은</u> 것은? ·················(   )

① 문제 상황: 밸런타인데이, 화이트 데이와 같은 기념일은 챙기지만 우리 나라의 진짜 기념일은 알고 있는가?

② 주장: 국적 없는 기념일은 챙기지 않아도 된다.

③ 근거 1: 국적 없는 기념일을 챙기는 것은 돈 낭비이다.

⑤ 근거3: 국적 없는 기념일에 선물을 주고받으면서 친구 사이의 우정을 쌓을 수 있다.

④ 근거 2: 국적 없는 기념일은 기업이 물건을 팔려는 상술이다.

29 다음은 ㉮를 주제로 글을 쓰기 위한 계획입니다. 알맞지 <u>않은</u> 것은? ·················· (　　　)

	㉮ 주제: 숲을 보호하자.
서론	숲이 줄어들고 있다. ·· ①
본론	숲은 미세 먼지를 잡아 주어 공기를 깨끗하게 해 준다. ············· ②
	숲을 개간하여 경작지를 만들 수 있다. ··························· ③
	숲은 지구 온난화를 막아 준다. ································· ④
결론	우리 모두의 노력으로 숲을 보호하자. ·························· ⑤

30 이 계획에 따라 글을 쓰려고 할 때 순서대로 글을 늘어놓은 것은? ·················· (　　　)

㉮ 사람의 욕심이 더 이상 숲을 망치게 할 수 없다. 숲을 보호하는 것은 숲에 사는 동물도, 그리고 사람들도 위한 일이다. 우리 모두 숲을 보호하기 위한 일들을 해 나가야 한다.

㉯ 2000년부터 10년간 전 세계에서 해마다 1300만 헥타르의 숲이 사라지고 있다. 숲이 사라지는 까닭은 부분별한 삼림 벌채, 가뭄, 산불 등으로 다양하다. 숲은 급속도로 파괴되고 있으며 우리는 숲을 보호해야 한다. 숲을 보호해야 하는 까닭은 무엇일까?

㉰ 숲을 개간하여 경작지를 만들 수 있다. 인도네시아의 수마트라 우림을 개간하여 기름야자를 심어 팜유를 만들 수 있다. 이 팜유는 화장품, 페인트, 샴푸, 식품 등의 원료로 쓰여 인도네시아 농민들의 수입을 늘려 주고 있다.

㉱ 숲은 미세 먼지를 잡아 주어 공기를 깨끗하게 해 준다. 나무 한 그루는 1년간 미세 먼지 35.7그램을 흡수한다. 숲이 있는 곳은 미세 먼지 나쁨 농도의 일수가 줄어든다. 숲이 공기 청정기 역할을 하는 것이다.

㉲ 숲은 지구 온난화를 막아 준다. 숲의 나무는 산소를 만들어 낸다. 그리고 숲은 대표적인 온실가스인 이산화 탄소를 흡수해 지구의 허파 역할을 한다.

① ㉮ － ㉱ － ㉰ － ㉲ － ㉯

② ㉯ － ㉰ － ㉱ － ㉲ － ㉮

③ ㉯ － ㉲ － ㉱ － ㉰ － ㉮

④ ㉯ － ㉮ － ㉱ － ㉰ － ㉲

⑤ ㉯ － ㉱ － ㉰ － ㉲ － ㉮

01 다음 토론에서 [㉠]에 들어갈 내용으로 알맞은 것은? ·· (   )

사회자: 우리 학급에는 학급 문고가 있습니다. 그런데 학급 문고의 반납 날짜를 지키지 않는 학생들이 점점 늘어나고 있습니다. 그래서 오늘은 '학급 문고 반납 날짜를 지키지 않는 학생들에게 벌금을 내게 하자.'라는 주제로 토론을 진행하겠습니다. 먼저 찬성편 학생 말씀해 주십시오.

찬성 1: 학급 문고의 운영을 자율적으로 하다 보니 책을 빌려 가서는 까맣게 잊고 있는 친구들도 많습니다. 반납 날짜를 지키지 않으면 그 책을 기다리는 다른 친구들이 피해를 입을 수 있습니다. 그러므로 반납 날짜를 지키지 않으면 벌금을 물려야 합니다.

사회자: 이번에는 반대편 학생 말씀해 주십시오.

반대 1: 학급 문고의 책들은 반 학생들이 한두 권씩 가져다가 꾸린 것입니다. 이런 학급 문고의 운영에 벌금까지 매긴다는 것은 너무 강제적입니다. 학급 문고 반납 날짜를 지키지 않는다고 벌금을 매긴다면 [㉠   ]

찬성 2: 자율적으로 운영이 되지 않는다면 강제성을 가질 필요도 있다고 생각합니다. 벌금을 매긴다면 반납 날짜도 잘 지켜질 것입니다. 그리고 벌금을 모아서 나중에 학급 문고에 필요한 새 책을 사는 것도 좋을 것입니다.

반대 2: 학급 문고 반납 날짜를 지키지 않는다고 해서 벌금을 내게 하면, 나중에는 '그까짓 규칙, 돈 내고 말지.' 하고 생각하는 학생들이 많아질 것입니다. 학생들의 일은 자율적으로 스스로 지키게 하는 것이 가장 좋은 방법이라고 생각합니다.

① 학급 문고의 책 수가 점점 줄어들 수 있습니다.
② 아예 책을 빌리지 않는 학생들도 생길 수 있습니다.
③ 학급 문고에 특정 출판사의 책만 많아질 수 있습니다.
④ 외부에서 받는 학급 문고 지원금이 없어질 수 있습니다.
⑤ 학급 문고에 집에서 버리는 책들을 가져오는 학생이 많아질 수 있습니다.

[02~03] 다음 강연 내용을 읽고 물음에 답하시오.

> 행복 지수는 국내 총생산 등 경제적 가치뿐 아니라 삶의 만족도, 미래에 대한 기대, 실업률, 자부심, 희망, 사랑 등이 삶에 주는 영향을 짐작하여 수치로 나타낸 지표를 말해요. 행복 지수 1위를 하는 국가는 해마다 달라지기는 하지만 핀란드와 덴마크가 1위를 하는 나라로 유명하답니다. 그럼 이들 나라가 행복 지수 상위권을 차지하는 까닭을 살펴볼까요?
>
> 이들 나라의 국민들은 자연에서 하는 여러 활동을 통해 행복을 찾습니다. 섬에서 해가 뜨고 지는 모습을 바라보는 것만으로도 행복하다고 느끼는 것이지요. 또 독서를 통해 새로운 세상으로 나아가는 눈을 갖기도 하지요. 친구나 이웃과의 교류나 운동, 자원봉사를 하면서 친구와 이웃을 직접 만나는 활동을 통해서도 행복 지수는 높아지지요. 서로 경쟁하지 않는 사회 분위기도 한몫을 해요. 좋은 성적이나 학교, 부나 사회적인 지위를 얻기 위해서 아주 치열한 경쟁을 하다 보면 불행하다고 느끼는 경우가 많아진다고 해요.
>
> 경제력 순위가 행복 지수 순위와 비례하지 않는다는 사실을 떠올리면서 행복 지수를 높이기 위한 일을 하나하나 해 보세요.

02 강연의 내용으로 알맞은 것은? ·································· (   )

① 핀란드 사람들은 책을 많이 읽지 않는다.

② 덴마크 사람들은 자연에서 활동하는 시간이 적다.

③ 덴마크 학생들은 높은 성적을 얻기 위해 치열한 경쟁을 한다.

④ 핀란드나 덴마크 사람들은 서로 얼굴을 대하는 활동을 적게 한다.

⑤ 핀란드나 덴마크 사람들은 스스로 행복하다고 느끼는 정도가 높다.

03 강연 내용을 읽고 파악할 수 있는 것으로 알맞지 <u>않은</u> 것은? ·············· (   )

① 미국은 경제력 순위가 높으므로 행복 지수도 높을 것이다.

② 높은 사회적 지위가 무조건적인 행복을 보장해 주지는 않는다.

③ 핀란드는 공공 도서관 이용률이 높은 나라라고 예상할 수 있다.

④ 텃밭에서 채소를 가꾸는 것도 행복 지수를 올릴 수 있는 방법이 된다.

⑤ 여가를 온라인 게임, 누리 소통망 등만 이용하면서 다른 사람과 직접 교류하지 않고 보내면 행복 지수는 떨어질 수 있다.

[04~05] 다음 그림을 보고 물음에 답하시오.

김득신의 작품 「야묘도추」에 대해 설명할게요. 들고양이 한 마리가 병아리를 입에 물고 달아나고 있어요. 들고양이는 달아나는 중에도 고개를 돌려 뒤를 돌아보고 있지요. 어미 닭은 날개를 활짝 펴고 들고양이에게 달려들고 있어요. 남자는 담뱃대를 휘두르고 있고 여자는 벌떡 일어나 있어요.

▲ 「야묘도추」 김득신

04 그림에 대한 설명으로 알맞지 <u>않은</u> 것은? ────────── (   )

① 어미 닭은 다급하다.
② 남자의 탕건이 떨어져 있다.
③ 남자는 마루 아래로 뛰어내리고 있다.
④ 남자는 들고양이를 담뱃대로 위협한다.
⑤ 여자는 짚신을 들고양이에게 던지고 있다.

05 |보기|의 ㉠과 ㉡에 들어갈 글자의 첫 자음자를 알맞게 짝 지은 것은? ────── (   )

┤보기├

㉠		맨			㉡		꾼
	고양이		밥	날		낚시	
	국화		손	지우		말썽	
	장미		주먹	덮		잔소리	

	①	②	③	④	⑤
㉠	ㄲ	ㅅ	ㄷ	ㅍ	ㅊ
㉡	ㄸ	ㅎ	ㄱ	ㄹ	ㄴ

06 다음에서 민준이와 소민이의 말다툼을 해결하기 위해 서우와 채은이가 할 말로 알맞지 <u>않은</u> 것은?

( )

① "모둠 수행 평가 주제는 모둠원 스스로 정해야 한다."
② "완전 새로운 주제도 모둠원들 스스로 생각해 내야 한다."
③ "교과서에 있는 것으로 수행 평가 주제를 정하는 것이 좋다."
④ "수행 평가 주제를 하나씩 생각한 후에 다시 얘기하는 것이 좋겠다."
⑤ "민준이 어머님께 시간을 드리고 수행 평가 주제를 생각해 달라고 하자."

[07~08] 다음 글을 읽고 물음에 답하시오.

공정 여행을 아시나요? 관광 산업은 전 세계적으로 매년 성장하고 있지만 관광 산업으로 얻어지는 이익의 대부분은 현지 주민이 아닌 다국적 기업에게 돌아간다고 합니다. 그리고 관광지를 개발하기 위해 현지 주민들이 삶의 터전에서 쫓겨나기도 하지요. 히말라야의 산악인들을 위한 짐꾼들은 해마다 눈사태로 목숨을 잃지만 아무도 이들의 죽음에 관심을 갖지 않아요. 필리핀 동물원의 안경원숭이는 관람객들이 계속 사진을 찍는 바람에 눈이 벌겋게 충혈되어 있다고 하지요. 안경원숭이는 야행성 동물인데 동물원 관계자들이 관람객들을 많이 불러들여 돈을 벌기 위해 낮에 안경원숭이를 재우지 않기 때문이에요.

이러한 여러 가지 문제점 때문에 공정 무역 제품을 사듯이 공정한 여행을 해야 한다는 운동이 2000년대에 들어서면서 펼쳐지게 되었습니다. 공정 여행은 다른 말로는 착한 여행이라고도 합니다. 공정 여행은 현지 주민들의 문화를 있는 그대로 보고 듣고 느끼고 체험하는 여행입니다. 현지 주민들의 삶에 자연스럽게 스며들어 그들의 문화를 존중하는 것이지요. 공정 여행은 즐기기만 하는 여행이 아니라 현지 주민들에게 도움이 되고 환경 보전을 추구하는 여행입니다.

07 이 글을 통해 알 수 있는 내용으로 알맞지 <u>않은</u> 것은? ─────────────(   )

① 공정 여행은 공정 무역과 그 뜻을 같이한다.
② 공정 여행은 현지 주민들과 교류하지 않는 여행이다.
③ 공정 여행은 현지의 환경과 문화를 존중하는 여행이다.
④ 봉사와 관광을 같이 하는 여행도 공정 여행의 일종이다.
⑤ 환경 오염, 문명 파괴, 낭비 등을 한 기존의 여행을 반성하는 의미에서 시작되었다.

08 이 글의 내용을 통해 알 수 있는, 가장 바람직한 여행을 한 사람은? ────────(   )

① 돌고래 쇼를 관람한 소원
② 여행지의 생활 방식과 종교를 존중한 민우
③ 다국적 기업이 운영하는 숙소와 음식점을 이용한 정훈
④ 현지 주민이 파는 상품의 가격을 최대한 깎아서 산 연서
⑤ 영어를 사용하지 않는 나라에서도 여행 내내 영어를 사용한 남주

09 다음 오빠와 동생의 대화 상황에서 ㉠ 에 알맞은 관용 표현은? ································ (   )

① 손에 익지 마
② 시치미 떼지 마
③ 무릎을 꿇지 마
④ 우물에 가 숭늉 찾지 마
⑤ 소 잃고 외양간 고치지 마

10 밑줄 그은 고유어의 뜻으로 알맞지 <u>않은</u> 것은? ································ (   )

① 눈이 <u>시나브로</u> 쌓이고 있다. → 모르는 사이에 조금씩 조금씩.
② 그런 <u>꼼수</u>를 써서 이기다니, 무척 지혜롭구나! → 일을 처리하기 위한 방법이나 수완.
③ 개 간식 봉지를 뜯자마자 우리 집 개가 <u>득달같이</u> 달려왔다. → 잠시도 늦추지 않고.
④ 동생이 <u>고주알미주알</u> 학교에서 있었던 일을 말하였다. → 아주 사소한 일까지 속속들이.
⑤ 범인은 형사의 추궁에도 <u>모르쇠</u>로 일관하였다. → 아는 것이나 모르는 것이나 다 모른다고 잡아 떼는 것.

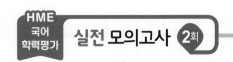

[11~12] 다음 글을 읽고 물음에 답하시오.

> ㉠우리 가족은 지난 토요일에 제주도에 갑니다. ㉡아버지가 가족 여행을 가자고 하였기 때문입니다.
>
> 제주도로 가기 위하여 우리 가족은 차를 타고 공항까지 이동하였고, 공항에서도 한참을 기다린 뒤에 비행기를 탈 수 있었습니다. ㉢비록 시간은 많이 걸렸지만, 책에서만 보던 곳을 직접 간다는 기쁨에 그다지 힘들었습니다.
>
> 제주도는 정말 아름다운 섬이었습니다. 우리 가족은 바닷가 근처에 숙소를 정하였습니다. ㉣눈앞에 정말 아름다운 바다가 보았습니다. 바닷물이 워낙 깨끗해서 물속에 들어가 보고 싶었습니다.
>
> 우리 가족은 제주도의 아름다운 경관을 보기 위해서 성산 일출봉, 한라산, 천지연 폭포 등을 가 보았습니다. 아름다운 자연을 간직한 제주도가 무척 신비롭게 느껴졌습니다.
>
> 집으로 돌아오는 길에 아버지께 내년에도 다시 제주도로 놀러 가자고 조르니 그렇게 하겠다고 말씀하셨습니다. ㉤벌써부터 내년이 기다려질 것입니다.

11 더 좋은 글을 쓰기 위해 이 글의 고칠 점을 가장 알맞게 말한 것은? ·········· (   )

① 숙소의 이름과 숙박비를 쓴다.
② 공항에서 기다린 시간을 자세히 쓴다.
③ 제주도에 가기 위해 준비할 일을 쓴다.
④ 제주도에 가기 전에 읽었던 책의 줄거리를 쓴다.
⑤ 여행한 장소의 특색과 새롭게 보고 들은 일을 쓴다.

12 ㉠~㉤을 바르게 고쳐 쓰지 <u>못한</u> 것은? ·································· (   )

① ㉠: 우리 가족은 지난 토요일에 제주도에 갔습니다.
② ㉡: 아버지께서 가족 여행을 가자고 하셨기 때문입니다.
③ ㉢: 비록 시간은 많이 걸렸을지라도, 책에서만 보던 곳을 직접 간다는 기쁨에 그다지 힘들어도 참았습니다.
④ ㉣: 눈앞에 정말 아름다운 바다가 보였습니다.
⑤ ㉤: 벌써부터 내년이 기다려집니다.

13 다음 광고의 ㉠~㉢을 비판적으로 살펴본 것으로 알맞지 <u>않은</u> 것은? ·········· (　　　　)

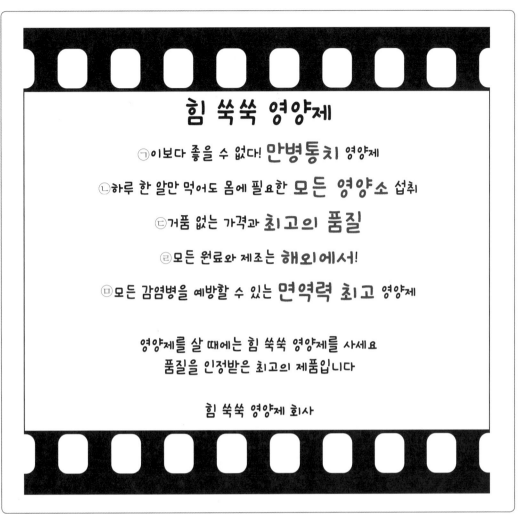

① ㉠: 더 좋은 영양제가 있을 수 있기 때문에 과장되었다.
② ㉡: 몸에 필요한 모든 영양소를 섭취할 수 있다는 말이 과장되었다.
③ ㉢: 가격이 비쌀 수도 있고, 최고의 품질이라는 말이 과장되었다.
④ ㉣: 해외 어느 나라에서 원료를 구입하고 제조하는지 감추고 있다.
⑤ ㉤: 어떤 감염병을 예방할 수 있는지 자세한 정보를 감추고 있다.

[14~15] 다음 글을 읽고 물음에 답하시오.

창경궁은 조선 시대의 궁궐이다. 창경궁의 처음 이름은 수강궁으로, 세종이 태종을 모시기 위해 지은 궁궐이었다. 성종 때에 폐허처럼 남아 있던 수강궁을 수리하면서 이름도 창경궁으로 바꾸었다. 성종이 창경궁에 할머니들을 모시기도 하였고, 효자로 유명한 정조가 태어난 곳이기도 하여 효와 인연이 깊다. 창경궁은 임진왜란 때 불탔다가 광해군 때 제 모습을 찾았으나, 그 뒤로도 큰 화재를 겪는 수난을 당했다. 문정전은 왕이 신하들을 만나고 나랏일을 보살피던 곳이다. 이 문정전 앞뜰은 사도 세자가 목숨을 잃은 곳으로 유명하다. 왕비가 생활하던 통명전은 아름다움과 기품이 서려 있다.

한편 일제 강점기에는 일본 사람들이 창경궁에 동물원과 식물원을 만들면서 많은 건물을 헐고, 이름도 '창경원'으로 바꾸었다. 1983년에 창경궁이라는 이름을 되찾고, 1984년부터 동물원과 식물원 일부를 옮기고 일본인들이 심었던 벚나무도 뽑아내었다.

14 이 글을 읽고 이해한 내용으로 알맞지 <u>않은</u> 것은? .... ( )

① 창경궁은 태종이 지은 궁궐이다.
② 창경궁은 서울의 궁궐 중 하나이다.
③ 창경궁에서 사도 세자가 목숨을 잃었다.
④ 창경궁에서 왕비는 통명전에서 생활하였다.
⑤ 1983년에 창경원에서 창경궁으로 이름이 바뀌었다.

15 이 글을 읽고 추론할 수 있는 내용으로 알맞은 것은? .... ( )

① 궁궐에서 왕과 왕비가 생활하던 공간이 같았다.
② 창경궁은 창건 이래 한 번도 그 모습이 바뀌지 않았다.
③ 정조는 아버지 사도 세자의 죽음으로 효에 대한 가치를 잃어버렸다.
④ 일제 강점기에 조선 시대 왕권과 왕실의 상징성을 격하시키려고 하였다.
⑤ 창경원을 창경궁으로 복원시킨 것은 왕족의 자존심을 회복하려는 노력이었다.

[16~17] 다음 글을 읽고 물음에 답하시오.

「피부 색깔=꿀색」이라는 영화를 보았다. 제목부터가 뭔가 전하고 싶은 이야기가 많은 영화라고 생각했다. 이 영화는 벨기에에 입양된 우리 동포 융이라는 사람이 어린 시절을 회상하며 이야기가 시작된다.

융은 다섯 살에 해외로 입양된다. 하지만 융은 벨기에의 가족과 자신의 피부색이 다르다는 사실과 한국에 친부모가 있을지도 모른다는 생각에 잘 적응하지 못하고 힘들어한다. 게다가 융의 가족은 한국에서 여자아이를 한 명 더 입양한다. 융은 한국에서 새로 입양된 여동생과 자신이 닮았다는 말을 듣기 싫어하며 동생과 가족을 멀리한다. 그리고 융은 학교에서 말썽을 일으키고 집에서 거짓말까지 하면서 점점 더 엇나가는 행동을 한다.

예전에 「국가 대표」라는 영화를 보았다. 그 영화에서 주인공은 엄마를 찾으려고 국가 대표가 되려고 했다.

이 영화를 보면서 나는 융이라는 사람에게 이런 말을 해 주고 싶었다. "비록 우리나라의 아픈 역사 때문에 벨기에에서 살지만 우리는 똑같은 한국인입니다."라고 말이다. 영화를 보는 내내 나는 입양된 사람들이 우리 역사에서 겪은 아픔을 생각했다. 본인의 의지와 상관없이 다른 나라에서 살아야 하는 사람들, 그리고 우리나라에 온 사람들까지. 나는 우리가 지금 서로를 따뜻하게 감싸 안아야 할 때라고 생각한다.

16 이 글을 읽고 추론한 것으로 알맞은 것은? ──────────────── (　　)

① 융의 여동생은 융을 싫어한다.
② 융은 6.25 전쟁으로 부모를 잃은 아이였다.
③ 융은 입양된 후에 정체성의 혼란을 겪었다.
④ 「국가 대표」는 실종된 아이에 대한 영화이다.
⑤ 융이 입양될 당시에 벨기에에는 한국인 입양아가 많았다.

17 이 글의 글쓴이의 생각에 대한 자신의 생각을 알맞게 말한 것은? ─────── (　　)

① 해외 입양 절차를 간소화해야 한다.
② 해외 입양 문제는 국가 정책으로 해결해야 한다.
③ 입양 후에는 입양된 나라의 국적을 취득할 수 있어야 한다.
④ 우리나라 사람들이 해외 입양아들을 보듬어 주고 따뜻하게 맞아 주어야 한다.
⑤ 해외에 입양된 사람들이 친부모를 찾으려면 자기 분야에서 좋은 성과가 있어야 한다.

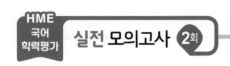

[18~19] 다음 글을 읽고 물음에 답하시오.

철새

철새 중에는 여름새와 겨울새가 있습니다. 제비와 같이 여름을 우리나라에서 나는 새를 여름새라고 합니다. 제비는 번식 때문에 많은 먹이가 필요한 봄부터 여름까지 우리나라에서 지내는 것입니다.

철새는 한 해에 두 차례씩 사는 곳을 옮깁니다. 철새는 산을 넘고 바다를 건너 아주 먼 여행을 합니다. 어떤 새는 북극에서 오스트레일리아 앞바다까지 2만여 킬로미터나 여행을 합니다.

철새는 이동할 때 보통 산줄기나 바닷가를 따라 날아갑니다. 그러나 철새 중에는 제비처럼 넓은 바다를 밤낮없이 날아서 건너는 새도 있습니다.

철새가 이렇게 머나먼 여행을 해마다 두 번씩 하는 까닭은 무엇일까요? 그 까닭은

> ㉠

그런데 철새가 이동하여 찾아가는 곳은 해마다 거의 같다고 합니다. 또, 이동할 때의 길도 해마다 같다고 합니다. 지도나 나침반도 없이 해마다 같은 길로 같은 곳을 찾아갈 수 있다니 놀라운 일입니다. 더구나 어른 새뿐만 아니라 어린 새도 마찬가지라고 하니 참 신기합니다.

철새가 어떻게 이런 여행을 할 수 있는지에 대해서는 여러 가지 주장이 있습니다. 어떤 사람들은 철새가 지구의 자기력을 따라 이동한다고 합니다. 또 어떤 사람들은 태양의 위치가 철새의 길잡이가 된다고 말합니다. 바람의 방향을 이용하여 철새가 이동한다고 말하는 사람들도 있습니다. 그러나 이런 이야기가 모두 확실한 것은 아닙니다.

---

18 이 글을 읽을 때 도움이 되는 배경지식으로 알맞지 <u>않은</u> 것은? ⸺⸺⸺⸺ (   )

① 철새들은 계절에 따라 규칙적으로 이동한다.

② 겨울을 우리나라에서 나는 새를 겨울새라고 한다.

③ 우리나라의 순천만 습지는 갈대가 많은 곳으로 유명하다.

④ 철새들은 먹잇감이 풍부하고 온도가 알맞은 곳을 찾아 이동한다.

⑤ 철새들의 이동 경로나 방향 등은 많은 부분 유전적으로 내재되어 있는 것으로 알려져 있다.

19   ㉠   에 들어갈 내용을 알맞게 추론한 것은? ⸺⸺⸺⸺ (   )

① 나는 힘을 기르기 위해서입니다.

② 자신들이 멸종되는 것을 막기 위해서입니다.

③ 오염된 서식지를 떠나 친환경 서식지를 찾기 위해서입니다.

④ 어른 새에게 이동 경로와 거리 따위를 가르치기 위해서입니다.

⑤ 더위나 추위를 피하여 먹이를 구하고 새끼를 치기 위해서입니다.

옛날 옛적 임금님이 가지고 있던 신기한 이것

빙글빙글 돌리면서
"나와라, 쌀." 하면 쌀이 뚝딱!
빙글빙글 돌리면서
"그쳐라, 쌀." 하면 쌀이 뚝!

방문 밖에서 듣고 있던 도둑이 이것을 훔쳐
배를 타고 바다 한가운데로 나가
"나와라, 소금." 하니
배 위에 소금이 수북수북!

도둑은 너무 좋아 덩실덩실 춤추고
소금은 계속 나와 넘실넘실 넘쳐서
그만 바닷속에 쑤욱 가라앉은 배

이것은 바닷속에서 계속 돌고 돌아
바닷물은 "아이고, 짜다!"

20 이 시에 대한 설명으로 알맞지 <u>않은</u> 것은? ──────── ( )

① 공간적 배경은 궁궐과 바다이다.
② 갈등을 일으키는 인물은 도둑이다.
③ 바닷물이 짜게 된 유래에 얽힌 내용이다.
④ 도둑은 '이것'을 멈추게 하는 주문을 알지 못하였다.
⑤ 시 내용의 시간적 배경이 되는 당시에는 쌀과 소금이 귀했다는 것을 알 수 있다.

21 이 시의 '이것'으로 알맞은 것은? ──────── ( )

① 맷돌　　　　　　② 절구　　　　　　③ 지게
④ 인두　　　　　　⑤ 물레방아

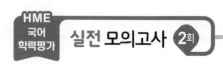

22

다음 이야기에서 찾을 수 있는 교훈을 알맞게 떠올린 것은? ⋯⋯⋯⋯⋯⋯⋯ (   )

아버지와 아이가 당나귀를 팔러 시장으로 가는 길이었다. 아버지는 앞에서 당나귀를 끌고 아이는 당나귀의 뒤를 천천히 따르고 있었다. 이 모습을 본 한 남자가 말했다.

"당나귀를 타고 가면 되는데 미련하게 끌고 가네!"

아버지는 남자의 말을 듣고 아이를 당나귀에 태우고 걸었다. 한참을 가는데 이 모습을 본 노인이 말했다.

"애를 저렇게 버릇없이 키우면 어쩌나? 아이가 걷고 아버지가 당나귀를 타는 것이 맞지."

이 말을 들은 아버지는 아이를 당나귀에서 내리게 하고 자신이 당나귀에 탔다. 얼마쯤 가자 한 아낙이 혀를 끌끌 차며 말했다.

"인정머리도 없는 아비로군. 아이는 걷게 하고 아버지만 편하게 당나귀를 타다니. 둘 다 같이 타고 가면 얼마나 좋겠어."

아버지는 이 말을 듣고 아이도 당나귀 등에 타게 했다. 외나무다리쯤 왔을 때 한 청년이 말했다.

"이 더운 날 당나귀 등에 둘이나 타다니. 말도 못하는 짐승이 불쌍하군. 당나귀를 메고 가는 방법도 있잖아."

아버지와 아이는 얼굴이 벌게져서 당나귀에서 내렸다. 그리고 나서 아버지는 당나귀의 앞발을, 아이는 뒷발을 각각 어깨에 올렸다. 외나무다리를 건너는데 당나귀가 발버둥치는 바람에 둘은 그만 당나귀를 놓치고 당나귀는 강물에 빠져서 떠내려갔다.

① 다른 사람의 의견을 잘 따라야 한다.

② 동물의 입장에서도 생각해 보아야 한다.

③ 일을 처리할 때에는 자신만의 원칙이 있어야 한다.

④ 목표를 이루기 위해서는 체계적인 준비가 필요하다.

⑤ 성실하고 꾸준한 사람이 결국에는 좋은 결과를 얻게 된다.

23 다음은 이방원과 정몽주가 주고받은 시조입니다. 시조에 대한 설명으로 알맞지 <u>않은</u> 것은?

(   )

하여가

이방원

이런들 어떠하며 저런들 어떠하리
만수산 드렁칡이 얽혀진들 어떠하리
우리도 이같이 얽혀져 백 년까지 누리리

이방원: 고려를 무너뜨리고 조선을 세운 태조 이성계의 아들. 조선의 제3대 왕인 태종이 이방원임.

단심가

정몽주

이 몸이 죽고 죽어 일백 번 고쳐 죽어
백골이 진토 되어 넋이라도 있고 없고
임 향한 일편단심이야 가실 줄이 있으랴

정몽주: 고려의 대표적인 충신. 고려 왕조를 지키면서 고려를 개혁해야 한다고 생각함.

① "백골이 진토 되어"라는 표현에 정몽주의 확고한 마음이 잘 나타난다.
② 이방원은 정몽주에게 뜻을 함께 모아 새 나라를 세우자고 말하고 있다.
③ 이방원은 새로운 나라를 세우려고 하고 정몽주는 고려를 지키려고 한다.
④ 이방원은 정몽주의 시조를 듣고 정몽주를 설득할 가능성이 있다고 생각하였을 것이다.
⑤ "이런들 어떠하며 저런들 어떠하리"에 정몽주에게 자신과 뜻을 같이하는 일에 너무 큰 부담을 가지지 말라는 이방원의 생각이 잘 표현되었다.

24 다음 이야기의 마지막 부분에서 여우가 하였을 대답으로 알맞은 것은? ⋯⋯⋯⋯⋯⋯ (   )

> 사자가 늙고 병이 들어 사냥을 할 수 없었다. 굶어 죽을 지경에 이르자 사자는 한 가지 꾀를 내었다.
>
> 사자는 숲속 모든 동물들이 알 수 있도록 소문을 냈다. 자기가 병이 들었으니 문병을 오라는 내용이었다. 단 하루에 한 동물씩 차례를 정해 문병을 와야 하다고 하였다. 오지 않는 동물들은 나중에 병이 다 나았을 때 크게 혼을 낼 것이라고까지 하였다.
>
> 사자는 동굴 속으로 들어갔다. 숲속 동물들은 모여서 문병을 갈 차례를 정하였다. 토끼, 사슴, 멧돼지 따위의 동물들이 차례대로 문병을 갔다. 이윽고 여우의 차례가 되었다. 여우는 사자가 있는 동굴 앞에 이르자 크게 소리쳤다.
>
> "사자님, 병환은 좀 어떠하신지요?"
>
> 그러자 사자가 대답했다.
>
> "점점 나아지고 있으니 곧 동굴 밖으로 나갈 수 있을 것이다."
>
> 여우가 말했다.
>
> "병환이 점점 나아지신다니 다행입니다."
>
> 사자가 다시 말하였다.
>
> "그런데 너는 어찌 들어오지 않고 밖에서 얘기를 한다는 말이냐?"
>
> 그러자 여우가 대답하였다.
>
>

① "사자님께 병이 옮을까 무섭습니다."

② "오늘은 목소리만 들려드리고 내일 뵙겠습니다."

③ "목소리만 들어도 사자님의 상태를 알 수 있습니다."

④ "제가 급히 가 볼 데가 있어서 시간을 많이 낼 수 없습니다."

⑤ "동굴 안으로 들어간 발자국만 있고 나온 발자국은 없으니 어찌 들어갈 수 있겠습니까?"

25 다음 이야기에 대한 설명으로 알맞지 <u>않은</u> 것은? ·· (　　)

> ㈎ 역할을 정하는 건 아주 수월했죠. 왕자 역할은 가장 잘생긴 종훈이가, 괴물 역할은 가장 몸집이 큰 태식이가 맡기로 했어요. 이제 공주 역할을 정할 차례가 되었지요. 선생님이 물었어요.
>
> "공주 역할은 누가 좋을까요?"
>
> 선아 옆자리에 앉은 일중이가 손을 들며 말했습니다.
>
> "선아요!"
>
> 반 아이들이 고개를 끄덕였습니다. 다들 공주 역할은 당연히 선아가 맡아야 한다고 생각했으니까요. 선생님도 고개를 끄덕였습니다.
>
> "그럼, 선아가 공주 역할 할래?"
>
> 선생님이 물었습니다. 하지만 선아는 고개를 저었지요.
>
> "저, 괴물 역할 하고 싶어요."
>
> ㈏ 선아는 예쁘고 싶지 않았어요. 재미있는 걸, 하고 싶은 걸 하고 싶었죠. 선생님이 아이들을 진정시켰어요. 몇 번 교탁을 두드리고 나서야, 반은 겨우 조용해졌어요. 선생님이 다시 이야기를 꺼냈어요.
>
> "그럼, 일단 공주 역할은 빼고 다시 정하자."
>
> 그때였어요. 괴물 역할을 하기로 했던 태식이가 손을 들었죠. 덩치가 워낙 커서 한눈에 띄었죠.
>
> "선생님, 저 괴물 역할 말고 왕자 역할 하고 싶어요."
>
> "뭐? 갑자기 왜? 왕자는 종훈이가 하기로 했잖니?"
>
> 이번엔 왕자 역할을 하기로 했던 종훈이가 슬그머니 손을 들었어요.
>
> "서, 선생님, 저는 겁이 많아서, 주인공 하기는 싫어요. 대신 나무나 바위 같은 거 하고 싶어요."
>
> ㈐ 연극 날 덩치 크고 험악하게 생긴 왕자, 예쁜 괴물, 남자 공주, 잘생긴 나무. 한눈에 보기에도 평소 동화나 연극 속의 등장인물들이 아닌 것 같았어요. 아이들이 조금 주눅이 들자, "그아아아앙!" 선아가 갑자기 소리를 질렀어요. 괴물처럼 으르렁대는 소리였죠. 선아만의 기합 소리였어요.
>
> "뭐 어때? 이런 연극도 있어야지. 다들 기합 넣고, 재밌게 하자!"
>
> 「괴물이 되고 싶어요」 김용식

① 공간적 배경은 교실이다.
② 선아와 친구들, 선생님이 인물이다.
③ 시간적 배경의 변화가 나타나지 않는다.
④ 연극의 역할을 정하는 것이 주요 사건이다.
⑤ '고정 관념을 깨뜨리자.'라는 주제를 드러낸다.

26 낱말의 관계가 나머지 넷과 <u>다른</u> 하나는? ···································· (　　)

① 나무 – 식물　　② 피아노 – 악기　　③ 공책 – 학용품
④ 책방 – 서점　　⑤ 사과 – 과일

27 다음 문장의 밑줄 그은 '들어'와 같은 뜻으로 쓰인 '들다'가 있는 문장은? ·················· (   )

> 집에 와서 방에 들어 옷을 벗고 나서야 편안해졌다.

① 칼이 잘 드니 조심해서 쓰렴.
② 책이 많이 있는 가방을 드니 무거웠다.
③ 고개를 드니 친구가 나를 보며 웃고 있었다.
④ 비가 그치고 날이 드니 슬슬 일할 준비를 하자.
⑤ 나무가 많은 곳에 드니 공기가 맑아서 기분이 좋았다.

28 ┃보기┃와 같이 친구를 다른 대상에 비유하여 시를 쓰기로 하였습니다. 친구와 대상과의 비슷한 점으로 알맞은 것은? ·················· (   )

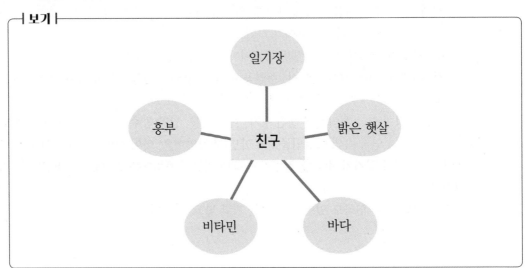

① 일기장: 쓰기 싫다.
② 흥부: 욕심이 많다.
③ 바다: 낚시를 좋아한다.
④ 비타민: 몸에서 만들지 못하는 것도 있다.
⑤ 밝은 햇살: 보는 사람의 기분이 좋게 잘 웃는다.

[29~30] '미세 먼지 대처 방법'을 글감으로 하여 글을 쓰려고 합니다. 물음에 답하시오.

29 글을 쓰기 위하여 계획한 내용으로 알맞지 <u>않은</u> 것은? ·· ( )

글쓰기 계획	
주제	미세 먼지가 심한 날의 대처 방법
목적	정보 전달 및 실생활에서 활용
예상 독자	미세 먼지를 연구하는 연구원 ······························· ①
글의 내용	미세 먼지의 뜻과 미세 먼지가 건강에 끼치는 나쁜 점
	미세 먼지 대처 방법 1: 외출 자제 ······························· ②
	미세 먼지 대처 방법 2: 마스크 쓰기 ······························· ③
	미세 먼지 대처 방법 3: 물 많이 마시기 ······························· ④
	미세 먼지 대처 방법 4: 외출했다가 돌아왔을 때에는 깨끗이 씻기 ······· ⑤

30 이 계획에 따라 글을 쓰려고 자료를 수집하였습니다. 알맞지 <u>않은</u> 것은? ················ ( )

① 미세 먼지의 뜻과 미세 먼지가 건강에 끼치는 나쁜 점 - 백과사전

미세 먼지는 일반 먼지보다 크기가 매우 작아서 눈에 보이지 않는 것을 말한다. 공기 중에 머물러 있다가 호흡기를 통해 우리 몸속으로 들어와 건강에 좋지 않은 영향을 끼친다.

② 미세 먼지 대처 방법 1: 외출 자제 - 관련 전문가(미세 먼지 대책 사무관) 면담 자료

"고농도 미세 먼지 배출 시 국민께서는 외출을 자제해 주시길 바랍니다."

③ 미세 먼지 대처 방법 2: 마스크 쓰기 - 감염병 발생 시 국가별 마스크 착용 비율

〈마스크 착용률〉 A 나라: 91퍼센트 / B 나라: 16퍼센트

④ 미세 먼지 대처 방법 3: 물 많이 마시기 - 의사 면담 자료

"우리 몸속에 들어온 미세 먼지의 80퍼센트 이상은 물을 마시는 것만으로도 잘 배출됩니다."

⑤ 미세 먼지 대처 방법 4: 외출했다가 돌아왔을 때에는 깨끗이 씻기 - 시민 면담 자료

"외출했다가 돌아와서 온몸을 구석구석 씻고 양치질을 하면 몸에 달라붙은 미세 먼지가 떨어져 나가서 좋아요."

실전 모의고사 3회

[01~02] 다음 대화를 읽고 물음에 답하시오.

> 선생님: 지난 시간에 희곡을 다 읽어 보았어요. 제비 역할을 누가 하면 좋을까요?
> 학생 1: 재민이가 하면 어떨까요?
> 학생 2: 재민이는 표정 연기를 아주 잘해요.
> 학생 3: 맞아요. 재민이가 하면 재미있을 것 같아요.
> 선생님: 친구들은 재민이가 제비 역할을 하면 좋겠다고 하는데, 재민이 생각은 어떤가요?
> 재민: 친구들이 이렇게 추천해 주니 　⊙　. 친구들을 실망시키지 않도록 열심히 연습할게요.

01 대화의 상황으로 알맞지 <u>않은</u> 것은? ⸺⸺⸺⸺⸺⸺⸺⸺ (　　)

① 연극의 역할을 정하고 있다.
② 재민이는 친구들의 권유를 받아들였다.
③ 친구들은 제비 역할로 재민이를 추천하였다.
④ 선생님은 재민이가 제비 역할을 하도록 강요하였다.
⑤ 학생 2는 재민이가 그 역할을 해야 하는 까닭을 밝혔다.

02 　⊙　에 들어갈 관용 표현으로 알맞은 것은? ⸺⸺⸺⸺⸺ (　　)

① 손발이 맞아요
② 어깨가 무거워요
③ 어깨를 견주어요
④ 어깨에 힘을 주어요
⑤ 머리에 서리가 앉아요

[03~04] 다음 연설문을 읽고 물음에 답하시오.

학생회 회장 후보 기호 2번 김천재입니다. 저는 모든 학생의 말을 귀담아들으며 우리 학교를 이끌어 가기 위하여 이 자리에 섰습니다.

제가 학생회 회장이 된다면 화장실에 따뜻한 물이 나오도록 학교에 건의하겠습니다. 겨울이 되면 어린 동생들과 또래 친구들이 화장실에서 손을 씻을 때 손이 시려 힘들어하는 것을 보았습니다. 화장실에 따뜻한 물이 나온다면 손도 더 잘 씻고 기분도 좋아져서 학교생활이 즐거울 것입니다. 그리고 이러한 시설을 자랑스러워할 것이고 학교를 사랑하는 마음도 더 커질 것이라고 생각합니다.

따뜻한 물이 나오려면 순간온수기를 화장실에 설치하여야 합니다. 그렇게 되면 많은 돈이 들어가 어려움이 있을 것입니다. 그렇지만 학생들의 복지를 위하여 돈을 <u>쓰는</u> 것은 당연한 일입니다. 학교에서 적극적으로 받아들일 수 있도록 최선을 다하겠습니다. 화장실에 따뜻한 물이 나와 손을 씻을 때마다 기분이 좋아지는 학교를 만들기 위하여 노력하겠습니다.

03 이 연설문을 읽고 파악한 내용으로 알맞지 <u>않은</u> 것은? ⋯⋯⋯⋯⋯⋯⋯⋯⋯⋯ (   )

① 김천재의 공약을 지지하는 학생들이 많다.
② 김천재의 공약을 이행하려면 학교 예산이 필요하다.
③ 김천재는 학생회 회장으로 자신을 뽑아 달라고 설득하고 있다.
④ 김천재의 공약은 화장실에 따뜻한 물이 나오도록 하겠다는 것이다.
⑤ 현재 김천재의 학교 화장실에는 순간온수기가 설치되어 있지 않다.

04 이 연설문의 밑줄 그은 '쓰다'와 같은 뜻이 쓰인 문장은? ⋯⋯⋯⋯⋯⋯⋯⋯⋯ (   )

① 일기를 <u>썼다</u>.
② 말을 잘 <u>써야</u> 윷놀이에서 이길 수 있다.
③ 좋은 약은 입에 <u>쓰니</u> 참고 먹는 것이 좋다.
④ 노느라 시간을 많이 <u>써서</u> 시험 공부를 제대로 못 했다.
⑤ 독감과 같은 감염병을 예방하기 위해서는 마스크를 <u>쓰는</u> 것이 좋다.

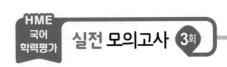
05 다음 글에서 알 수 있는 주장은? ·· (   )

> 시내버스나 도시 철도에는 교통 약자석이 마련되어 있다. 장애인, 노약자, 임산부 등 이동에 불편을 느끼는 사람들을 위한 좌석이다. 그러나 젊고 건강한 사람이 교통 약자석에 버젓이 앉아 있어 눈살이 찌푸려지는 경우가 종종 있다.
>
> 교통 약자석은 항상 비워 두는 것이 좋다. 이동에 불편을 느끼는 사람들이 빈자리를 찾다가 포기하고 다른 칸으로 이동하기도 하는 경우가 많기 때문이다.
>
> 교통 약자석이 제 기능을 발휘하기 위해서는 적극적인 홍보가 필요하다. 자리만 마련하는 것은 수박 겉 핥기 식의 행정에 그칠 우려가 있다.
>
> 교통 약자석은 사회의 약자를 배려하고 웃어른을 공경하는 미풍양속을 담고 있기도 하다. 건강한 사람은 교통 약자석에 앉지 말아야 한다. 타인을 배려하는 넓고 아름다운 마음을 지닐 때 우리 사회가 더욱 밝아질 것이다.

① 교통 약자석을 비워 두자.

② 교통 약자석을 많이 마련하자.

③ 교통 약자석의 색상을 바꾸자.

④ 교통 약자석 이용 시간을 정하자.

⑤ 젊고 건강한 사람도 아플 때에는 교통 약자석에 앉을 수 있도록 하자.

06 다음 중 밑줄 그은 부분의 띄어쓰기가 바른 문장은? ····································· (   )

① 물이 생각보다 <u>맑군 그래</u>.

② 연필 <u>한자루만</u> 빌려줄래?

③ <u>놀만큼</u> 놀았으니 집에 가야겠다.

④ <u>하나내지둘</u> 정도만 교실에 들어갈 수 있다.

⑤ <u>나간 지가</u> 한참 지났는데 왜 안 들어오는 걸까?

07 다음 공익 광고에 대한 설명으로 알맞은 것을 | 보기 |에서 모두 고른 것은? ⋯⋯⋯⋯⋯ (   )

세상에서
가장 안 아픈
예방 주사

손을 깨끗이 씻는 것만으로도 전염병의 70퍼센트가
예방됩니다.

콜레라, 감기, 식중독 등 전염병의 70퍼센트는 손을
통해 전염됩니다.
손만 깨끗이 씻어도 70퍼센트의 전염병이 예방됩니다.
세상에서 가장 안 아픈 예방 주사,
손 씻기는 또 하나의 백신입니다.

「공중 보건 – 엄마 손 –」한국방송광고진흥공사

┤ 보기 ├
㉠ 공익 광고의 주제는 '손을 깨끗이 씻자.'는 것이다.
㉡ 엄마와 아이가 함께 손을 씻는 모습을 표현하였다.
㉢ '또 하나의 백신'은 새로 만들어진 주사약을 뜻한다.
㉣ 세상에서 가장 안 아픈 예방 주사는 '손을 깨끗이 씻는 것'이다.
㉤ 손을 깨끗이 씻는 것만으로도 전염병을 완벽하게 예방할 수 있다.

① ㉠, ㉡, ㉢   ② ㉡, ㉢, ㉣   ③ ㉡, ㉢, ㉤
④ ㉠, ㉡, ㉤   ⑤ ㉠, ㉡, ㉣

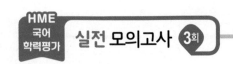

[08~09] 다음 편지글을 읽고 물음에 답하시오.

지효에게

지효야, 안녕? 나 신우야.

지효야, 아까 내가 네 책상 앞에서 미역국을 엎질렀지? 너는 네 가방이 더러워져서 많이 속상하였을 텐데 나에게 "괜찮아?" 하면서 걱정을 해 주었어. 그리고 미역국 치우는 것을 도와주었어.

나는 미역국을 엎지르고 너에게 미안하다는 말도 ㉠못 하고 멍하니 서 있었어. 너무 당황스러워서 어떻게 해야 할지 생각이 나지 않았어. 그런데 네가 오히려 나를 걱정해 주고 같이 치워 주어서 감동하였단다.

지효야, 고마워! 너의 따뜻한 마음을 잊지 않을게.

앞으로 내가 도와줄 일이 있으면 꼭 도와줄게. 그리고 우리 앞으로도 친하게 지내자.

20○○년 4월 25일

신우가

08 이 글에 대한 내용으로 알맞지 <u>않은</u> 것은? ······ ( )

① 신우의 마음을 표현하는 말이 나타나 있다.

② 지효는 신우의 편지를 받고 당황스러웠을 것이다.

③ 신우는 지효에게 고마운 마음을 표현하려고 한다.

④ 신우가 엎지른 미역국 때문에 지효의 가방이 더러워졌다.

⑤ 있었던 일과 그 일에 대한 신우의 생각이나 느낌이 나타나 있다.

09 ㉠'못'의 뜻으로 알맞은 것은? ······ ( )

① 아무리 적게 잡아도.

② 어떤 일을 할 능력이 없다.

③ 비교 대상에 미치지 아니하다.

④ 앞말이 뜻하는 행동을 더 이상 유지할 수 없다.

⑤ 동작을 할 수 없다거나 상태가 이루어지지 않았다.

10 다음 이야기에서 찾을 수 있는 교훈을 알맞게 떠올린 것은? ·········· (   )

> 중국의 학자 사마광이 어렸을 때의 일이다.
>
> 마을 어른들은 모두 논밭에 나가서 일을 하고 사마광은 친구들과 함께 신나게 놀고 있었다. 마을 공터에는 물이 가득 담긴 커다란 항아리가 있었는데 항아리의 크기는 아이들의 키를 훌쩍 넘기고도 남았다.
>
> 그런데 한 아이가 이 항아리에 올라가서 장난을 치다가 그만 항아리에 빠지고 말았다. 아이는 항아리가 너무 커서 빠져나오지 못하고 허우적댔다. 깜짝 놀란 아이들은 어쩔 줄 몰라 하였다. 무서워서 엉엉 우는 아이, 어른들을 부르겠다고 논밭이 있는 곳으로 뛰는 아이, 기다란 막대기를 구하러 뛰어가는 아이, 발만 동동 구르는 아이가 있었지만 어느 누구도 물에 빠진 아이를 구하지 못하였다.
>
> 이때 사마광이 커다란 돌을 가지고 와서 항아리의 밑부분을 내리쳤다. 그러자 항아리가 깨지면서 물이 빠지고 깨진 항아리 사이로 아이가 나올 수 있었다.

① 부모님께 효도하자.

② 이웃과 더불어 살자.

③ 우정을 소중하게 여기자.

④ 정해진 틀에서 벗어나자.

⑤ 일을 할 때에는 집중해서 하자.

11 다음 | 보기 |의 담화 내용의 의미를 파악한 것으로 알맞은 것은? ·········· (   )

┤ 보기 ├

㈎ 친구 1: (무거운 짐을 들고 가는 친구 2를 향해) 내가 같이 들어 줄게.

친구 2: ㉠너밖에 없다.

㈏ 친구 3: 내일 봉사 활동 갈 사람 있어?

친구 4: ㉡너밖에 없다.

① ㉠에는 고마움의 뜻이 담겨 있다.

② ㉠에는 도움을 거절한다는 뜻이 담겨 있다.

③ ㉠에서 친구 2를 도와줄 사람이 친구 1만 있다는 것을 알 수 있다.

④ ㉡에는 봉사 활동에 참여하는 것에 대한 칭찬의 뜻이 담겨 있다.

⑤ ㉡에서 내일 봉사 활동에 친구 3 외에 다른 친구들이 참여한다는 것을 알 수 있다.

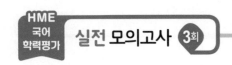
12 다음 글에서 밑줄 그은 ㉠의 의미를 알맞게 파악한 것은? ·· (   )

> 우리나라에는 고유의 음악인 판소리가 있다. 판소리는 '판'과 '소리'가 합쳐진 말이다. 그래서 판소리는 마당이나 장터와 같이 관중이 모일 수 있는 넓은 곳이라면 어디서든지 공연을 할 수 있었다.
>
> 판소리는 소리, 아니리, 발림으로 이루어진다. 소리는 소리꾼이 노래로 부르는 것을 말한다. 판소리 〈흥부가〉에서 흥부가 박을 탈 때 박에서 돈과 쌀이 나오는 장면은 소리로 이렇게 부른다.
>
> "돌아섰다 돌아보면 돈도 도로 가득하고 쌀도 도로 가득하고 부어 내고 부어 내고 부어 내고 부어 내고 돌아섰다 돌아보면 도로 하나 가득하고."
>
> 아니리는 소리를 하는 중간중간에 이야기하듯 설명을 하는 것이다. 소리꾼은 아니리와 소리를 번갈아 하면서 관중이 판소리에 빠져들게 한다. 발림은 흥미를 높이기 위해 소리꾼이 몸짓이나 손짓으로 하는 동작을 말한다.
>
> 그런데 판소리에서 소리꾼 못지않게 중요한 사람이 고수이다. 고수는 판소리에서 북을 치는 사람을 말한다. 고수는 소리꾼의 노래에 맞추어 다양한 장단을 쳐 준다. 그리고 알맞은 곳에서 "얼씨구"나 "좋다"와 같이 추임새를 넣어 주기도 한다. 판소리계에서는 ㉠'1고수 2명창'이라는 말이 있는데 이 말의 뜻을 되새기면 판소리에서 고수의 의미를 알 수 있다.

① 소리꾼보다 빛나는 고수는 없다.

② 소리꾼이 첫 번째이고, 고수가 그다음이다.

③ 좋은 고수를 만나야 훌륭한 소리꾼이 될 수 있다.

④ 고수의 연습 시간보다 소리꾼의 연습 시간이 많다.

⑤ 판소리에는 한 명의 고수에 두 명의 소리꾼이 있다.

[13~14] 다음 글을 읽고 물음에 답하시오.

어떤 지역이나 지방에서만 쓰이는 고유한 언어를 '방언' 또는 '사투리'라고 한다. 표준어 '할아버지'를 제주도 방언으로 '하르방'이라고 하는 것이 그 예이다. 지역 간의 교류가 적었던 과거에는 지역별로 방언이 많이 쓰였지만, 교통과 통신의 발달로 교류가 활발해진 지금은 방언의 사용이 점점 줄어들고 있다. 그렇지만 방언은 사라지기에는 아까운 뛰어난 가치를 지니고 있다.

방언을 사용하면 같은 지역 사람 간에 친근함과 정겨움을 주고 표준어가 담지 못한 느낌을 주기도 한다. 그리고 방언에만 있는 고유의 표현에는 우리 조상들이 사용하던 옛말들이 녹아 있어서 그 지역의 생활 양식을 엿볼 수 있다. 방언은 표준어가 담지 못하는 한국어의 다양성을 표현하고 있는 것이다.

방언은 그 지방의 문화 속에서 만들어진 언어일 뿐 표준어와 비교하여 저급한 것이 아니다. 방언을 새롭게 바라보고 지키려는 노력이 필요한 때이다.

13 글쓴이의 생각을 알맞게 파악한 것은? ──────────────── (   )

① 방언의 사용을 줄여야 한다.
② 방언을 소중히 보존해야 한다.
③ 방언을 포함한 표준어 규범을 다시 정해야 한다.
④ 대화를 할 때 비속어나 유행어를 쓰는 것은 좋지 않다.
⑤ 방송사에서 각 지역의 방언을 활용한 드라마 제작에 힘써야 한다.

14 밑줄 그은 부분과 같이 표준어와 방언이 알맞게 짝 지어지지 <u>않은</u> 것은? ─────── (   )

	표준어	방언
①	부추	정구지
②	옥수수	옥시기
③	나무	낭게
④	어머니	엄니
⑤	자장면	짜장면

[15~16] 다음 글을 읽고 물음에 답하시오.

　가마솥은 옛날부터 우리나라에서 쓰던 무쇠로 만든 솥이다. 밥을 지을 때 쓰던 가마솥은 매우 큼직하고 우묵하게 생겼다. 이 가마솥에는 밥맛을 좋게 하는 여러 가지 이유가 담겨 있다.

　가마솥 뚜껑은 들어서 여는 것이 힘들어 밀어서 열어야 할 만큼 무겁다. 밥을 지을 때 솥에 열을 가하면 물이 수증기로 변한다. 이때 뚜껑이 무거울수록 수증기가 덜 빠져나가게 되면서 솥 안의 압력이 높아지게 되는 것이다. 솥 안의 압력이 높아지면 밥도 높은 온도에서 잘 익게 되어서 밥맛이 좋아진다. 또 가마솥은 밑바닥이 둥그렇고 바닥의 두께가 다르다. 가마솥 바닥은 가운데가 두껍고 가장자리가 얇은데 이렇게 하면 열이 골고루 전달된다. 열이 골고루 전달되면 쌀이 고루고루 잘 익기 때문에 밥맛이 좋아지는 것이다. 그리고 한 번 끓인 밥이나 물을 잘 식지 않게 해 주기도 한다.

　요즈음에는 가족의 수도 적어지고 부엌의 모습도 바뀌면서 가마솥을 쓰는 집은 보기가 힘들다. 그렇지만 지금 우리가 쓰고 있는 밥솥에는 가마솥의 장점이 곳곳에 숨겨져 있다. 이것을 보면 조상들의 지혜를 현대에 응용하여 더 좋은 것으로 발전시킬 수 있다는 것을 알 수 있다.

15 이 글의 내용으로 알맞지 <u>않은</u> 것은? ·····························(　)

① 가마솥은 무쇠로 만든다.
② 가마솥에는 밥을 빨리 식지 않게 하기 위한 비결이 숨겨져 있다.
③ 가마솥은 대가족이나 아궁이에 장작을 때어 밥을 짓던 때에 알맞았다.
④ 가마솥으로 지은 밥의 맛이 좋은 것은 가마솥 뚜껑이 무겁기 때문이다.
⑤ 가마솥 바닥의 두께가 다른 것은 열을 한곳에만 집중적으로 전달하기 위한 것이다.

16 글을 읽고 생각을 알맞게 말한 것은? ·····························(　)

① 무거운 가마솥을 쓰는 것은 비효율적이다.
② 나무로 불을 때는 나라에 가마솥을 수출해야 한다.
③ 쌀 소비량이 적은 요즈음에 밥맛은 그다지 중요하지 않다.
④ 가마솥을 사용할 수 있도록 현대 집의 구조를 바꾸어야 한다.
⑤ 조상들이 사용하던 물건에 담긴 지혜를 현대 과학에 응용할 수 있다.

[17~18] 다음 텔레비전 뉴스 원고를 읽고 물음에 답하시오.

진행자: 어려운 경기 속에도 기부가 늘어난 데는 재미와 감동이 함께하는 '스마트 기부'가 한몫을 하고 있습니다. ○○○ 기자가 전해 드립니다.

기자: 거리에 등장한 자선냄비가 뭔가 색다릅니다. 한 시민이 돼지 저금통을 갈라 모금함에 돈을 넣는 가 했더니, 먼저 주사위를 모니터 위에 놓습니다. 선택한 것은 여성과 다문화, 기부 대상을 직접 고를 수 있는 스마트 자선냄비입니다.

〈면담〉 □□□(서울시 용산구) "자기가 마음 가는 단체에 기부할 수 있어서 편리한 것 같습니다. 좋은 것 같습니다."

기자: 기부 자판기도 새로 등장했습니다. 메뉴판에 물이나 신발, 약이 있고 2천5백 원부터 만 원까지 금액도 있어, 원하는 것을 고르면 지구 반대편 어린이에게 그대로 전달됩니다. 이렇게 걷는 것만으로도 기부할 수 있는 스마트폰 앱도 있습니다. 100미터에 10원씩 기부금이 쌓이는 동안 건강까지 챙길 수 있습니다. 게임을 하고 광고 동영상을 시청하면서 기부할 수 있는 앱도 등장했습니다.

〈면담〉 △△△(☆☆☆병원 정신건강의학과 교수) "기부에 있어서 마일리지나 포인트 등을 이용할 수 있게 유도한다는 것은 조금 더 사람들이 기부에 손쉽게 다가갈 수 있는 방법 중 하나입니다."

기자: 이타적인 동정심으로 기부를 결심해야 하는 것이 늘어야 할 것입니다.

17 진행자의 도입 부분에 들어갈 자막 내용을 알맞게 추론한 것은? ·················· (   )
① 스마트 기부 확산
② 스마트폰 되팔아 기부 가능
③ 스마트 기부를 악용한 피싱 늘어나
④ 스마트한 기부금 관리, 투명성 높여
⑤ 스마트 기부로 소외 계층 학생 돕는다

18 이 뉴스의 타당성을 판단한 것으로 알맞지 <u>않은</u> 것은? ·················· (   )
① 통계 자료의 출처를 정확하게 밝혔다.
② 뉴스의 관점을 뒷받침하려고 면담 자료를 활용했다.
③ 뉴스의 관점에 맞게 스마트 기부의 장점과 특징을 소개했다.
④ 스마트 기부가 우리 사회에서 가치 있고 중요하기 때문에 다루었다.
⑤ 기자의 마지막 말은 '이타적인 동정심으로 기부를 결심하기도 하지만, 기부하면서 느끼는 재미와 보람 같은 개인적인 욕구를 채워 주는 점이 요즘 기부의 특징입니다.'라고 바꾸는 것이 알맞다.

[19~20] 다음 이야기를 읽고 물음에 답하시오.

> 옛날 어느 마을에 앞을 못 보는 박 서방이 살고 있었어. 박 서방은 부지런히 일해서 한 냥 두 냥 돈을 모으기 시작했어. 그런데 모은 돈을 어디에 두어야 할지 고민이야. 집 안에 두었다가 도둑이라도 들면 큰일이니까. 궁리 끝에 박 서방은 뒷마당에 땅을 파고 항아리를 묻고 그 항아리 안에 돈을 모아 두기로 했어. 박 서방은 열심히 일해서 매일매일 그 항아리에 돈을 모았어.
>
> 그런데 박 서방이 돈을 모으는 모습을 몰래 훔쳐보는 사람이 있었는데, 바로 옆집에 사는 김 영감이었지. 어느 날 김 영감은 박 서방이 모은 돈을 몽땅 훔쳐 가 버리고 말았어. 그날 일을 마친 박 서방이 돈을 항아리에 두려고 갔는데 땅이 파헤쳐져 있는 것이야. 이상하다고 느낀 박 서방은 항아리 바닥을 더듬어 보았는데 아무것도 없었어.
>
> "아이고 내 돈을 누가 몽땅 훔쳐 갔구나."
>
> 박 서방은 누군가 자신이 돈을 묻는 것을 보았다는 것을 눈치챘어. 그러고는 돈을 다시 찾을 방법을 생각해 내었지. 다음 날 박 서방은 동네 여기저기를 돌아다니면서 누구나 들으라는 듯이 큰 소리로 말했어.
>
> ㉠"나한테 돈 천 냥이 있는데 이걸 어디에다 숨겨야 하나? 옳지, 오백 냥을 숨겨 둔 곳에 같이 숨겨야겠다."
>
> 이 말을 들은 김 영감은 그 돈 천 냥도 자신이 가져야겠다고 생각했어. ㉡김 영감은 서둘러 박 서방의 항아리에 훔쳐 갔던 돈 오백 냥을 넣어 두었지. 그날 밤 박 서방이 항아리를 열어 보니 돈 오백 냥이 고스란히 들어 있었어. 박 서방은 슬며시 미소를 지으며 돈을 꺼내 아무도 모르는 곳에 꽁꽁 감추었지. 이것을 알게 된 ㉢김 영감은 땅을 쳤단다.

19 이 이야기에 등장하는 인물의 성격을 알맞게 짝 지은 것은? ······················ (   )

	박 서방	김 영감
①	지혜롭다.	욕심이 많다.
②	욕심이 없다.	도전을 즐긴다.
③	남을 위해 희생한다.	자존심이 강하다.
④	완벽한 것을 추구한다.	성실하다.
⑤	계획적이다.	호기심이 많다.

20 이 이야기에 대한 설명으로 알맞지 <u>않은</u> 것은? ··· ( )

① 시간적 배경은 옛날이고, 공간적 배경은 어느 마을이다.

② 박 서방이 돈 오백 냥을 되찾으면서 사건이 끝을 맺는다.

③ ㉠은 박 서방이 돈을 훔쳐 간 도둑에게 들으라고 한 말이다.

④ 김 영감은 박 서방이 돈 오백 냥이 없어진 것을 알면 항아리에 돈 천 냥을 두지 않을 것 같아서 ㉡과 같이 하였다.

⑤ ㉢에는 김 영감이 도둑질한 것을 들키지 않아 기뻐하는 마음이 나타나 있다.

21 다음 낱말의 짜임이 나머지 넷과 <u>다른</u> 하나는? ··· ( )

① <u>풋고추</u>라서 그리 맵지 않다.

② <u>가위질</u>을 오래 했더니 손가락이 아프다.

③ 여름의 <u>한낮</u>은 땀이 줄줄 흐를 정도로 덥다.

④ 모기가 <u>손등</u>을 물어서 발갛게 부풀어 올랐다.

⑤ 도서관에 갔는데 문을 닫아서 <u>헛걸음</u>만 하였다.

22 다음에 등장하는 인물에게 공감하는 말로 알맞지 <u>않은</u> 것은? ·············· (   )

> 아들 1: 어머니, 제가 진짜 아들입니다!
>
> 아들 2: 어머니, 제가 진짜 아들입니다!
>
> 어머니: 아이고, 똑같이 생겼는데 진짜 내 아들이 누군지 어떻게 안단 말이냐? (옆에 서 있던 하인을 향해) 돌쇠야, 아들이 있던 절에 가서 사정을 이야기하고 스님을 모셔 오너라.
>
>   얼마 후 스님이 품에 고양이를 안고 나타난다.
>
> 스님:(두 아들을 번갈아 보며 혼잣말로) 역시 내 짐작이 맞았군. (고양이를 땅에 내려놓는다.)
>
>   고양이가 땅에 내려서자마자 아들 1이 겁을 내며 도망친다. 고양이는 도망치는 아들 1을 향해 달려들어 목덜미를 깨문다. 그 순간, 아들 1이 쥐로 변하여 죽어 있다.
>
> 어머니: 아이고머니, 이게 도대체 어떻게 된 일이야?
>
> 아들 2: (고개를 숙이며) 이제야 스님이 전에 하신 말씀이 무슨 뜻인지 깨달았습니다. 제가 손톱과 발톱을 깎아서 함부로 버릴 때마다 하신 말씀 말입니다.
>
> 스님: (아들 2의 어깨를 두드리며) 자네에게 손톱과 발톱을 함부로 버리면 나쁜 일이 생기니까 잘 싸서 버리라고 했지.
>
> 아들 2: (고개를 끄덕이며) 나쁜 일이 이것이었군요.
>
> 스님: 자네가 절에 있을 때 버린 손톱, 발톱을 주워 먹은 들쥐가 자네처럼 변해서 이 집 아들 노릇을 한 것이지.

① "아들 1은 고양이가 달려들어서 깜짝 놀랐을 것 같아."

② "어머니는 진짜 아들이 누구인지 몰라서 답답했을 것 같아."

③ "아들 1은 자신의 정체가 들킨 것을 다행스러워하는 것 같아."

④ "스님은 일이 잘 해결된 것 같아서 안도하는 마음이었을 거야."

⑤ "아들 2는 자신과 똑같이 생긴 사람이 있어서 당황스러웠을 것 같아."

[23~24] 다음 글을 읽고 물음에 답하시오.

한 나그네가 눈보라 치는 산길을 걷고 있다가 한 남자를 만났다. 두 사람은 산 아랫마을까지 같이 가기로 했다. 주변은 점점 어두워지고 눈보라가 거세게 몰아쳐서 한 발짝 내딛기도 힘들 지경이었다. 중간쯤 왔을 때 나그네는 쓰러진 사람을 보았다. 쓰러진 사람은 노인이었는데 숨만 간신히 쉬고 있을 뿐이었다.

나그네가 남자에게 말했다.

"이 노인을 모시고 내려갑시다. 그냥 두고 내려갔다가는 이 노인은 분명 죽고 말 것이오."

그러자 남자가 싫은 얼굴을 하고 대답하였다.

"나도 죽을지 살지 모르는데 이 노인까지 도와줄 수는 없소."

남자는 이렇게 말하고는 혼자 산 아래로 내려가기 시작했다. 나그네는 자신의 겉옷을 벗어 노인에게 입힌 뒤에 노인을 업고 산 아래로 내려가기 시작했다. 노인의 무게 때문에 발은 눈 속에 푹푹 빠지고 눈보라가 거세게 몰아쳐서 앞도 보기 힘들었다. 그렇지만 나그네는 한 발 한 발 묵묵히 내딛었다. 노인을 업고 걸어서인지 나그네의 온몸은 땀으로 흠뻑 젖었다.

마침내 산 아랫마을 입구에 도착했을 때 나그네는 쓰러진 사람을 보았다. 그 사람은 먼저 산을 내려갔던 남자였다.

23 이 글의 내용으로 알맞지 <u>않은</u> 것은? ·································· (   )

① 나그네와 노인은 서로 알고 있던 사이였다.

② 나그네와 노인은 체온을 나눌 수 있어서 살 수 있었다.

③ 나그네는 다른 사람을 위하여 봉사하는 삶을 추구한다.

④ 나그네는 노인의 목숨을 구하는 것이 중요하다고 생각하였다.

⑤ 남자는 노인을 모시고 내려갔다가는 자신도 죽을 수 있다고 생각하였다.

24 이 글에서 밑줄 그은 '얼굴'과 같은 뜻을 나타내는 문장으로 알맞은 것은? ········ (   )

① 너희가 내 얼굴을 세워 주었구나.

② 땀이 많이 났으니 얼굴을 씻어라.

③ 친구는 생각에 깊이 잠긴 얼굴이었다.

④ 우리나라 피겨 스케이팅계에 새 얼굴이 등장하였다.

⑤ 고려청자는 대한민국의 얼굴이라고 할 만한 문화재이다.

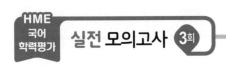
25 다음 이야기에서 ㉠~㉤의 뜻을 파악한 것으로 알맞지 <u>않은</u> 것은? ·········· (   )

> 옛날, 중국의 연나라는 제나라와 조나라의 위협을 받고 있었다. 게다가 이웃에는 연나라, 조나라보다 크고 강한 진나라가 있었다.
>
> 연나라가 제나라와 전쟁 중일 때 연나라에 흉년이 들었다. 그러자 조나라는 연나라를 침략하려고 하였다. ㉠연나라의 왕은 소대라는 사람을 보내어 조나라의 왕을 설득하게 하였다.
>
> 소대는 조나라의 왕을 찾아가서 말하였다.
>
> "제가 이곳으로 오는 길에 강가에서 ㉡조개 하나가 입을 벌리고 있는데 황새가 날아와 조개의 살을 쪼는 것을 보았습니다. 그러자 ㉢조개는 입을 다물어 황새의 주둥이를 물었습니다. 황새는 계속 이러고 있으면 조개가 말라 죽을 것이라고 하였고, 조개는 황새가 굶어 죽을 것이라고 하였습니다. 둘이 양보하지 않고 계속 싸우고 있는데 마침 그곳을 지나던 ㉣어부가 그 둘을 모두 잡고 말았습니다. 연나라와 조나라가 서로 싸운다면 진나라의 이득입니다. 이것은 마치 조개와 황새가 서로 다투다가 어부에게 잡히는 꼴입니다. 왕께서는 부디 이 이야기를 깊이 생각하시기를 바랍니다."
>
> 소대의 말을 들은 ㉤조나라의 왕은 연나라를 쳐들어가려는 계획을 포기하였다.

① ㉠의 까닭은 조나라의 왕을 설득하여 전쟁을 피하기 위해서이다.

② ㉡은 조나라가 연나라를 침략하려는 상황을 뜻한다.

③ ㉢은 조나라가 쳐들어오면 연나라는 조나라와 싸울 수밖에 없는 상황을 뜻한다.

④ ㉣은 제나라가 연나라와 조나라를 모두 정복할 수 있는 상황을 뜻한다.

⑤ ㉤의 까닭은 조나라와 연나라가 싸운다면 진나라가 연나라와 조나라를 모두 정복할 수 있다고 생각하였기 때문이다.

[26~27] 다음을 읽고 물음에 답하시오.

〈시〉

김소월

나 보기가 역겨워
가실 때에는
말 없이 고이 보내 드리오리다.

〈중략〉

가시는 걸음걸음
놓인 그 꽃을
사뿐히 즈려밟고 가시옵소서

나 보기가 역겨워
가실 때에는
죽어도 아니 눈물 흘리오리다.

〈'그 꽃'에 대한 설명〉: 4월 초에 가지 끝에 핀다. 지름은 3~4.5센티미터 정도이다. 한 꽃에 암술과 수술이 함께 나온다. 꽃부리는 5갈래로 갈라지며 겉에 잔털이 있다.

26 다음 중 이 시에서 밑줄 그은 '그 꽃'으로 알맞은 것은? ·········· ( )

①  ②  ③

④  ⑤

27 위 시에 대한 설명으로 알맞지 <u>않은</u> 것은? ···················· ( )

① 만남의 기쁨이 담겨 있다.

② '나 보기가 역겨워/가실 때에는'이라는 말이 반복된다.

③ '가시는', '걸음', '걸음'에는 'ㄱ'이 반복되어 운율이 느껴진다.

④ '꽃을 즈려밟고 가라'는 말에는 떠나는 사람에 대한 축복의 뜻이 담겨 있다.

⑤ '죽어도 아니 눈물 흘리오리다'라는 말에는 헤어짐에 대한 슬픔이 담겨 있다.

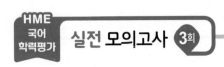

28 대상을 비유하기 위해 떠올린 것으로 가장 알맞지 <u>않은</u> 것은? .... (   )

	대상	비유하는 대상	공통점
①	개나리	병아리 떼	노란 색깔
②	어머니 마음	난로	포근함, 따뜻함
③	수박	설탕	달콤한 맛
④	남을 배려하는 마음	비단결	고움, 부드러움
⑤	솔잎	아기 손바닥	다섯 손가락을 펼친 듯한 모양

29 다음은 논설문을 쓰기 위한 계획입니다. ①~⑤ 중 알맞지 <u>않은</u> 것은? .... (   )

서론	문제 상황	요즈음 점심시간에 우리 반에서 발생하는 음식물 쓰레기의 양이 점점 많아지고 있다. ....①
	주장	점심시간에 먹을 만큼만 음식을 받아서 남기지 않는 생활 습관을 길러야 한다. ....②
본론	근거 1	음식물 쓰레기는 자연환경을 오염시킨다. ....③
	근거 2	음식물 쓰레기는 온실가스 배출량을 줄어들게 한다. .....④
	근거 3	음식물 쓰레기는 소중한 자원을 낭비하게 한다. ....⑤
결론	요약 및 정리	음식물 쓰레기를 줄여 환경도 지키고 소중한 자원도 절약하자.

30 다음 글의 ⊙ ～ ⊙ 에 들어갈 표현으로 알맞은 것은? ·······························(   )

> ㉮ 고조선의 〈팔조법〉-고조선 시대의 법률로 8개의 법 조항으로 되어 있음.
> • 사람을 죽인 자는 사형에 처한다.
> • 남을 다치게 한 자는 곡식으로 갚아야 한다.
> • 도둑질을 한 자는 데려다 노비로 삼는다.
>
> 　도둑질을 한 자는 데려다 노비로 삼는다는 조항을 보면 고조선이 　⊙　였다는 것을 알 수 있다. 남을 다치게 한 자는 곡식으로 갚아야 한다는 것을 보면 　⊙　 것도 알 수 있다. 고조선의 팔조법에 대해 기록한 중국의 책 『한서』에 따르면 고조선에서는 백성들이 도둑질을 하지 않아 대문을 닫고 사는 일이 없었다고 한다. 엄격한 법 덕분에 사람들이 도둑 걱정 없이 평화롭게 살았다는 것을 알 수 있다.
>
> ㉯ 바빌로니아의 함무라비 법전 -고대 바빌로니아의 법률로 282개의 법 조항으로 되어 있음.
> • 제1조: 남을 살인자로 고발하면서 증거를 제시하지 못하는 자는 사형에 처한다.
> • 제195조: 아들이 아버지를 때리면 아들의 두 손을 자른다.
> • 제196조: 자유인(평민)의 눈을 뺀 자는 그 눈을 뺀다.
> • 제197조: 귀족의 눈을 멍들게 한 자는 눈을 멍들게 한다.
>
> 　이 법은 '　ⓒ　'의 원칙이 두드러지게 나타난다. 잘못을 하면 그만큼의 벌을 받아야 한다는 생각이 담겨 있다. 바빌로니아가 고조선보다 법 조항이 많은 이유는 바빌로니아의 　ⓐ　 때문일 것이다. 인구가 많아지면 사람들의 관계가 훨씬 복잡해지고 다툼도 다양하게 일어난다. 사회가 점차 발달할수록 여러 경우에 대비하기 위해 　ⓔ　 까닭이다.

① 　⊙　: 사유 재산을 중시한 평등한 사회

② 　⊙　: 생명을 보호하며 생명을 소중히 여겼다는

③ 　ⓒ　: 눈 가리고 아웅

④ 　ⓐ　: 왕들이 훨씬 많았기

⑤ 　ⓔ　: 법 조항이 줄어드는

실전 모의고사 ④회

01 다음 강연의 내용과 일치하지 <u>않는</u> 것은? ·· (   )

> 오늘은 독도에 대해 말씀드릴게요. 신라 시대부터 우리의 땅이었던 독도를 일본은 계속 일본의 땅이라고 주장하고 있어요. 이런 일본의 주장을 말도 안 된다고 무시하거나 감정적으로 대응해서는 독도를 지킬 수 없어요. 일본의 주장을 제대로 알아야 잘못을 지적하고 바로잡을 수 있지요.
>
> 512년 신라의 장군 이사부가 울릉도와 독도를 포함한 나라인 우산국을 정복해 울릉도와 독도를 신라에 합병했어요. 이후 여러 책과 지도에 독도가 우리나라의 땅이라는 기록이 나오지요. 그런데 일본은 러일 전쟁 중인 1905년 2월에 시마네현 고시를 통해 독도를 일방적으로 일본에 편입시키지요. 그렇지만 1877년 일본의 최고 행정 기관인 태정관이 내무성에 보낸 태정관 지령을 보면 '독도는 일본과 관계없다는 사실을 명심할 것'이라고 적혀 있어요. 이것을 보면 독도가 우리 땅이라는 것을 알면서 일본이 거짓 주장을 하고 있다는 것을 알 수 있지요.
>
> 이후 태평양 전쟁에서 승리한 연합국과 패전국 일본이 맺은 샌프란시스코 강화 조약에 독도를 한국에 돌려주어야 한다는 규정이 없어요. 그래서 이것을 근거로 일본이 독도 영유권을 주장했지요. 하지만 원래 조선의 땅이었던 독도를 8.15 광복으로 다시 찾는 것은 당연한 일이지요.
>
> 1954년 일본은 독도 영유권 문제를 국제 사법 재판소에서 해결하자고 제안했어요. 하지만 우리나라는 독도에 대한 영토 주권이 당연히 대한민국에 있다는 입장이므로 이에 응하지 않고 있지요.
>
> 우리는 계속적으로 독도에 관심을 가지고 독도를 지키기 위해 노력해야 해요.

① 신라의 장군 이사부가 독도를 신라에 합병하였다.
② 독도가 대한민국의 땅이라는 기록을 일본에서도 찾을 수 있다.
③ 일본은 러일 전쟁 중에 독도를 일방적으로 일본에 편입시켰다.
④ 일본은 샌프란시스코 강화 조약을 근거로 들어 독도의 영유권을 주장하고 있다.
⑤ 대한민국 정부는 국제 사법 재판소의 재판에서 승리하여 독도가 대한민국의 영토임을 분명히 하였다.

[02~03] 다음 면담 내용을 읽고 물음에 답하시오.

> 학생: 사람들이 건국 신화를 만든 이유는 무엇인가요?
>
> 역사 선생님: 사람들은 누구나 자신의 뿌리를 알고 싶은 마음이 있어요. 그런 궁금증을 풀 수 있는 이야기에 '우리는 특별하다'라는 마음을 담아낸 것이 건국 신화예요.
>
> 학생: 건국 신화에 나오는 시조가 하늘에서 내려온 사람으로 표현되는 이유는 무엇인가요?
>
> 역사 선생님: 나라를 세운 사람이 특별한 사람이라면 그 나라를 더 자랑스럽게 여길 수 있겠지요? 고조선을 세운 단군도 신과 관련이 있어요.
>
> 학생: 건국 신화의 내용은 모두 꾸며 낸 것인가요?
>
> 역사 선생님: 역사적 사실에 상상력을 더해 신비로운 이야기로 만들었다고 볼 수 있어요. 예를 들어 단군 신화에 등장하는 호랑이와 곰은 사실 호랑이를 숭배하는 부족과 곰을 숭배하는 부족을 의미해요. 고조선은 환웅의 부족과 곰 부족이 힘을 합해 세운 셈이지요.
>
> 학생: 환웅이 땅으로 내려올 때 바람의 신, 비의 신, 구름의 신을 데려온 것은 무엇을 의미하나요?
>
> 역사 선생님: 그 당시에 농사짓는 것이 매우 중요했다는 것을 뜻하지요. 바람, 비, 구름은 농사를 지을 때 꼭 살펴야 하는 것들이지요. 바람과 비와 구름을 다스리는 신이 함께 있다는 것만으로도 풍요로운 나라가 될 것이라는 믿음을 줬을 거예요.

02 면담 내용으로 알 수 있는 것은? ──────────────── (   )

① 고조선이 세워질 당시에는 수렵 사회였다.

② 건국 신화에 나오는 시조는 평범하게 탄생한다.

③ 건국 신화는 사실에 바탕을 두지 않고 모두 꾸며 낸 이야기이다.

④ 고조선이 세워질 당시 호랑이를 숭배하는 부족이 큰 역할을 하였다.

⑤ 건국 신화에는 자기 민족이 다른 민족보다 뛰어나다는 생각이 담겨 있다.

03 면담 내용에서 알 수 있는 건국 신화에 대한 역사 선생님의 생각으로 알맞은 것은? ──(   )

① 건국 신화에는 신과 인간 사이의 갈등이 나타난다.

② 당시 사회의 생각과 풍습을 알 수 있는 역사적 자료이다.

③ 건국 신화의 갈등 구조를 통해 당시 사회의 법체계를 알 수 있다.

④ 근대 국가에서 만들어진 건국 신화만이 역사로 인정받을 수 있다.

⑤ 건국 신화는 상상력에 기초하여 꾸며진 이야기이므로 문학이라고 해야 한다.

04 다음 내용을 읽고 알맞게 파악하지 <u>못한</u> 것은? .... (   )

> 회장: 학생회에서 의논하고 싶은 안건이 있으신 분은 발표하여 주세요.
>
> 학생 1: 우리 학교의 운동장은 좁은 편인데도 운동장을 사용하는 학생은 많습니다. 그러다 보니 운동장을 사용하고 싶어도 사용하지 못하고, 운동장을 사용할 때 부딪히거나 공에 맞아 사고가 나기도 합니다. 따라서 운동장을 어떻게 사용하면 좋을지에 대하여 함께 의논하고 싶습니다.
>
> 〈중간 생략〉
>
> 회장: 운동장 사용 방법에 대한 의견을 말씀하여 주세요.
>
> 학생 1: 요일별로 한 학년씩 정하여 운동장을 사용하면 좋겠습니다. 그래야 운동장을 사용하는 순서가 공평하게 돌아가니까요.
>
> 학생 2: 저는 운동장을 여러 구역으로 나누어 학년마다 사용할 공간을 정하면 좋겠습니다. 그러면 각 학년이 운동장을 사용하는 기회가 늘어날 것입니다.
>
> 학생 3: 하루 중에 운동장을 사용하는 시간을 학년마다 다르게 하면 어떨까요? 그렇게 하면 저학년 학생들이 수업을 마친 뒤 오후 시간에 고학년 학생들이 운동장을 넓게 사용할 수 있으므로 저학년과 고학년의 차이를 고려할 수 있다고 생각합니다.

① 운동장 사용에 대한 해결 방법을 찾기 위해 이야기한다.

② 학생 1은 학년마다 운동장을 사용하는 순서가 공평하게 돌아가야 한다고 생각한다.

③ 학생 3은 저학년과 고학년의 수업이 끝나는 시간이 다르다는 점을 고려하여 말하였다.

④ 학생 1의 의견을 따랐을 경우 한 학년만 일주일에 두 번 운동장을 사용하게 된다는 문제점이 생긴다.

⑤ 학생 2의 의견을 따랐을 경우 고학년 학생들이 저학년 학생들에 비해 움직임이 크다는 점을 반영하지 못한다는 문제점이 생긴다.

착한 소비는 물건을 만들 때 인권이 지켜졌는지, 자연환경을 얼마나 보호했는지, 동물 복지가 얼마나 이루어졌는지 등을 생각하며 소비하는 것이다.

착한 소비의 방법으로는 공정 무역 제품을 사는 것이 있다. '공정 무역'은 개발 도상국에서 생산되는 농작물을 정당한 값에 사들여 생산자와 노동자가 정당한 대가를 받을 수 있도록 돕는 것이다.

다음은 사회적 기업의 제품을 사는 것이다. '사회적 기업'은 사회에서 소외 받는 사람들에게 일자리를 제공하거나 친환경적으로 물건을 생산하는 등 사회적으로 긍정적인 가치를 실현하면서 영업 활동을 하는 기업을 말한다.

최대한 고통을 주지 않는 방법으로 동물을 기르고 있다는 것을 국가에서 인증한 '동물 복지' 제품을 쓰거나, 동물 실험을 하지 않는 제품을 사는 것도 착한 소비의 하나이다.

05 이 글의 짜임으로 알맞은 것은? ·························· ( )

① 해결할 문제 상황만 제시하였다.

② 시간이나 공간의 순서에 따라 설명하였다.

③ 하나의 주제에 대하여 몇 가지 특징을 늘어놓았다.

④ 두 대상의 공통점과 차이점을 중심으로 설명하였다.

⑤ 대상에 대해 그림을 그리듯이 꾸며 주는 말이나 흉내 내는 말을 많이 넣어 표현하였다.

06 다음 중 착한 소비를 하지 않은 사람은? ·················· ( )

① 공정 무역 초콜릿을 산 고은

② 동물 실험을 하지 않은 화장품을 산 수아

③ 항생제를 먹이지 않은 닭이 낳은 달걀을 산 서준

④ 에너지 소비 효율 등급 숫자가 높은 전자 제품을 산 상우

⑤ 중증 장애인에게 일자리를 제공하는 회사에서 만든 과자를 산 재욱

07 다음 글을 읽고 추론한 내용으로 알맞은 것을 | 보기 |에서 모두 고른 것은? ·············· (   )

> 일제는 1910년부터 토지 조사 사업을 실시했다. 이는 정해진 기간 내에 소유자가 직접 토지를 임시 토지 조사국에 신고해야만 인정해 주는 사업이었다. 토지의 소유권을 확립하고 투명하게 세금을 걷겠다는 표면적인 의도로 시행되었지만 신고자가 제출해야 하는 서류와 절차가 매우 복잡했다. 그 결과 토지 조사 사업 이전까지 토지를 가지고 있었던 수백만의 농민이 토지에 대한 권리를 잃게 되었다. 결국 신고되지 않은 토지, 황실 소유지, 황무지 등은 모두 조선 총독부의 것이 되었다. 조선 총독부는 빼앗은 땅을 동양 척식 주식회사를 통해 일본 기업과 일본인들에게 싼값에 넘겼다.
> 뿐만 아니라 일제는 회사를 설립할 때 미리 총독의 허가를 받도록 하는 회사령을 공포하기도 했다. 이로 인해 주요 산업은 일본 기업이 독점했고, 한국 기업은 경공업에 한정되었다.

| 보기 |
㉠ 토지 조사 사업 이후 일제의 식민 지배가 약화되었을 것이다.
㉡ 토지 조사 사업으로 한국인들의 일본 진출이 쉽게 되었을 것이다.
㉢ 토지 조사 사업 때 많은 한국 농민들이 신고를 하지 못했을 것이다.
㉣ 토지 조사 사업 이후 한국의 농민들 대부분이 *소작농이 되었을 것이다.
㉤ 회사령은 우리 민족의 자본과 기업이 성장하는 것을 막으려는 속셈일 것이다.

*소작농: 다른 사람의 땅을 빌려 농사를 짓고 곡식이나 돈으로 갚는 농사. 또는 그런 농민.

① ㉠, ㉡, ㉢　　　　② ㉡, ㉢, ㉣　　　　③ ㉠, ㉢, ㉤
④ ㉡, ㉢, ㉤　　　　⑤ ㉢, ㉣, ㉤

08 다음 밑줄 그은 낱말의 결합 순서가 나머지 넷과 다른 하나는? ·············· (   )
① 찬반 토론이 한창이다.
② 책이 여기저기 흩어져 있다.
③ 한 골 차이로 승패가 갈렸다.
④ 장군은 상벌을 엄격히 하였다.
⑤ 옥황상제는 저승에 온 사람의 선악을 판단하였다.

다음 글과 자료를 보고 파악한 것으로 알맞지 <u>않은</u> 것은? ⋯⋯⋯⋯⋯⋯⋯⋯⋯ (   )

자동차가 많아지면서 교통사고는 심각한 사회 문제가 되고 있다. 신문 기사나 방송에서는 자주 교통사고에 대한 소식을 전하고 있다. 그중에서도 어린이 교통사고는 가벼운 사고로도 심각한 결과를 가져올 수 있기 때문에 주의가 필요하다.

〈자료 1〉

유형	보행 중	차량 동승	자전거	이륜차 동승	기타	합계
사망자 수(명)	39	31	6	0	0	76
사망자 비율(퍼센트)	51.3	40.8	7.9	0	0	100

▲14세 이하 어린이 교통사고 유형별 사망자 수(2016년)

〈자료 2〉

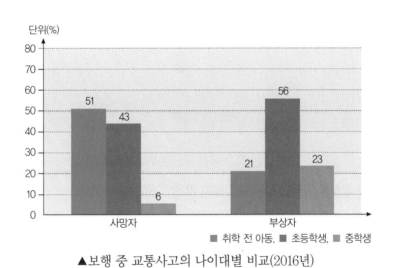

▲보행 중 교통사고의 나이대별 비교(2016년)

① 어린이 교통사고는 가벼운 사고로도 심각한 결과를 가져올 수 있다.

② 보행 중 교통사고를 줄이는 문제에 대한 글을 쓸 때 이 자료를 제시할 수 있다.

③ 어린이가 교통사고로 사망하는 유형을 보면 보행 중에 교통사고로 사망하는 경우의 비율이 높다.

④ 어린이 차량 동승 시에는 어린이가 카시트에 앉는 것이 사고가 나도 심각한 결과를 가져오는 것을 줄일 수 있다.

⑤ 보행 중 교통사고의 나이대별 비교에서 부상자의 비율을 보면 초등학생이 다른 나이대에 비하여 상대적으로 높게 나타난다.

10 다음과 같은 사람들이 말한, 한글의 우수성이 <u>아닌</u> 것은? ·· (   )

> 재러드 다이아몬드(미국의 학자): 한글은 독창성이 있고 기호 · 배합 등 효율성에서 각별히 돋보
> 이는, 세계에서 가장 합리적인 문자이다.
> 펄 벅(미국의 작가): 한글은 익히기 쉬운 훌륭한 문자이다.
> 로버트 램지(미국의 언어학자): 한글은 소리와 문자가 서로 체계적 연관성을 지닌 과학적인 문
> 자이다.

① 한글은 한 글자가 하나의 뜻만 가지고 있어 뜻이 헷갈리지 않는다.
② 한글은 적은 수의 문자로 많은 소리를 적을 수 있는 음소 문자이다.
③ 한글은 소리와 문자가 연관성이 있어서 쉽고 빨리 배울 수 있는 문자이다.
④ 한글은 자음자와 모음자의 획을 더하는 원리에 기초하여 설계되어 컴퓨터, 휴대 전화 등
  기계화에 적합한 문자이다.
⑤ 한글 모음자는 하늘, 땅, 사람을, 한글 자음자는 발음 기관의 모양을 본떠 만들어서 제자
  원리가 독창적이고 과학적이다.

11 다음 대화 상황을 파악한 것으로 알맞지 <u>않은</u> 것은? ·· (   )

> ㈎ 어머니: ㉠오늘 낮부터 비가 온다는구나.
>   아들: ㉡그럼 놀이공원 못 가요?
>
> ㈏ 아버지: ㉢오늘 낮부터 비가 온다는구나.
>   딸: ㉣날이 가물었는데 잘 됐네요.

① ㈎의 ㉠에는 아쉽다는 뜻이 담겨 있다.
② ㈎의 ㉡에는 걱정의 뜻이 담겨 있다.
③ ㈏의 ㉢에는 기쁨의 뜻이 담겨 있다.
④ ㈏의 ㉣에서 오랫동안 비가 오지 않았다는 것을 알 수 있다.
⑤ ㈏의 ㉣에서 좋지 않은 결과를 예상한다는 것을 알 수 있다.

[12~13] 다음 편지글을 읽고 물음에 답하시오.

가온이에게

가온아, 안녕?
어제 복도에서 뛰는데 옆 반 선생님께서 내 모습을 보셨어. 그리고 교실 문을 열자마자 담임 선생님께서 나를 보시고 지각이라고 말씀하셨지. 나는 아침부터 두 분 선생님께 꾸지람을 들어야 했어.
그렇게 시작된 하루는 정말로 길게 느껴졌어. 수업 내용도 잘 이해되지 않고 모둠 활동도 하기가 싫었지. 다른 때 같았으면 점심 급식으로 나온 치킨을 하나 더 먹고 싶어 도리깨침을 흘렸을 거야. 그런데 네가 치킨을 준다고 했을 때 나는 도리질을 했잖아.
그런데 수업이 끝나고 너랑 액세서리 가게에 가서 여러 가지 머리띠와 머리핀을 해 보니까 기분이 점점 나아졌어. 그리고 떡볶이를 먹으면서 너와 이야기를 실컷 하니까 기분이 좋아졌어.
네가 내 기분을 맑게 만들어 줬어.

샛별이가

12 이 글의 내용으로 알맞지 않은 것은? ( )
① 아침에 샛별이의 기분은 흐렸다.
② 가온이는 샛별이를 배려하는 행동을 하였다.
③ 샛별이는 복도에서 뛰다가 옆 반 선생님께 꾸지람을 들었다.
④ 샛별이는 수업이 끝난 후에 가온이와 액세서리 가게에 갔다.
⑤ 샛별이는 가온이에게 미안한 마음을 표현하려고 편지를 썼다.

13 밑줄 그은 '도리깨침'의 뜻으로 알맞은 것은? ( )
① 공연히 입 안에 도는 침.
② 갑자기 숨소리를 터뜨려 내는 일.
③ 잘 끊어지지 아니하고 길게 흘러내리는 침.
④ 너무 먹고 싶거나 탐이 나서 저절로 삼켜지는 침.
⑤ 애가 타거나 긴장하였을 때 입 안이 말라 무의식중에 힘들게 삼키는 아주 적은 양의 침.

[14~15] 다음 글을 읽고 물음에 답하시오.

(가) 글을 읽고 있는 중에는 긴한 말이 아니면 함부로 응대하지 말 것이며, 바쁜 일이 아니면 자리에서 일어나서는 안 된다. 하지만 부모가 부르면 책을 덮고 즉시 일어나야 한다. 그리고 손님이 오면 읽던 것을 중단하고 손님을 존중하는 뜻에서 책을 덮어야 한다. 또, 밥이 나오면 책을 덮어야 한다. 식사를 마치면 바로 일어나 산보하고, 시간이 한참 지나면 다시 책을 읽도록 한다.

– 박지원

(나) 책을 그냥 읽기만 한다면 하루에 천백 번을 읽더라도 읽지 않은 것과 매한가지이다. 무릇 책을 읽을 때에는 한 글자라도 그 뜻을 분명히 알지 못하는 것이 있으면 모름지기 널리 고찰하고 자세히 연구하여 그 글자의 유래를 알아야 하며, 그런 다음에는 그 글자가 사용된 문장을 이 책 또는 저 책에서 뽑는 작업을 날마다 해 나가야 한다. 이와 같이 하다 보면 한 종류의 책을 읽을 때에 아울러 백 가지의 책을 두루 보게 되며, 읽고 있는 책의 의미를 환히 꿰뚫을 수 있다.

– 정약용

14 글 (가)와 (나)에 나타난 책을 읽는 바른 자세를 알맞게 파악한 것은? ·········· ( )

	(가)	(나)
①	아무리 바빠도 매일 책을 읽어야 한다.	한 권의 책을 여러 번 읽어야 한다.
②	책을 읽을 때에는 눈으로 보고 입으로 소리 내어 읽고 그 뜻을 마음에 새겨야 한다.	한 분야의 책만 집중해서 읽어야 한다.
③	책을 읽을 때에는 주변을 정돈하고 자세와 마음가짐을 단정히 해야 한다.	여러 분야의 책을 골고루 읽어야 한다.
④	책을 읽는 시간과 장소를 정해야 한다.	책을 읽다가 모르는 내용이 나오면 스승에게 질문해야 한다.
⑤	책을 집중해서 읽되 때에 맞게 하고 예절을 지켜야 한다.	책을 읽을 때에는 뜻을 분명하게 알 수 있도록 노력해야 한다.

15 밑줄 그은 '자리'와 같은 뜻이 쓰인 문장은? ··· ( )
① 자리가 알맞게 익어서 새콤달콤하다.
② 자리를 깔고 앉아 시원한 바람을 맞았다.
③ 자리가 좁으니 옆으로 조금만 비켜 주세요.
④ 안방에 자리를 펴 놓았으니 편히 주무세요.
⑤ 자리에 물고기가 많이 걸려서 선장은 기분이 좋았다.

[16~17] 다음 글을 읽고 물음에 답하시오.

요즘 초등학생의 대부분은 신조어나 줄임 말을 사용하고 있다. 신조어와 줄임 말 사용은 친구에게서 가장 큰 영향을 받는다. 특히 학년이 높을수록, 하루 한 시간 이상 컴퓨터나 휴대 전화를 사용하는 초등학생들일수록 신조어나 줄임 말을 많이 사용한다.

신조어나 줄임 말은 짧고 간단해 사용하기 편하고, 신조어나 줄임 말을 만드는 과정에서 언어 창의력이 길러지기도 한다. 그래서 무조건 사용하지 않기보다는 상황에 맞게 적절하게 쓰는 것이 좋다는 의견도 있다.

그렇지만 신조어나 줄임 말을 많이 쓰면 의미가 명확하지 않아 오해가 생길 수도 있다. 그리고 우리말이 파괴되고 오염되기도 한다.

16 이 글을 읽고 추론한 내용으로 알맞지 <u>않은</u> 것은? ·· (　　　)

① 신조어나 줄임 말은 생명력이 강해서 사라지지 않는다.
② 신조어나 줄임 말은 상황에 맞게 사용하면 좋은 점도 있다.
③ 초등학생들은 친구와 대화 중에 신조어나 줄임 말을 많이 사용한다.
④ 신조어나 줄임 말 때문에 올바른 우리말을 쓰지 못하는 경우도 있다.
⑤ 컴퓨터나 휴대 전화를 사용하는 시간이 길수록 신조어나 줄임 말을 많이 사용한다.

17 이 글을 읽고 생각을 가장 알맞게 말한 것은? ·· (　　　)

① 신조어나 줄임 말 사용 연령을 제한해야 한다.
② 신조어나 줄임 말 입력이 편한 자판을 개발해야 한다.
③ 가정이나 학교에서 올바른 언어 사용 지도가 필요하다.
④ 신조어나 줄임 말을 만들지 못하게 하는 법이 있어야 한다.
⑤ 오래 사용하게 된 신조어나 줄임 말은 국어사전에 등재해야 한다.

[18~19] 다음 글을 읽고 물음에 답하시오.

> 우리나라에는 김치처럼 조상 대대로 이어 온 발효 식품이 많다. 발효 식품은 음식의 저장성이나 맛이 좋을 뿐만 아니라 우리 몸에 유익한 균이 많다. 우리나라의 발효 식품은 주재료에 따라 나누어 볼 수 있다.
>
> 첫째, 채소 발효 식품인 김치류가 있다. 배추와 무에 소금, 마늘, 고춧가루, 생강, 젓갈 등의 부재료를 섞어 발효시킨 저장 식품으로서, 주재료와 담그는 방법이 지역마다, 집집마다 매우 다양하다.
>
> 둘째, 수산물 발효 식품인 젓갈류가 있다. 젓갈류는 새우, 굴, 조개, 멸치 같은 어패류나 생선의 내장, 알, 아가미 등을 소금에 절여 숙성시키는 발효 식품이다. 젓갈류는 보통 2~6개월 동안 발효시키는데, 이 과정에서 우리 몸에 유익한 단백질이 소화되기 좋게 변한다.
>
> 셋째, 콩을 발효시킨 된장, 청국장, 간장, 고추장 같은 장류가 있다. 특히 된장은 단백질이 많이 들어가 있으며, 소화도 잘 되는 매우 좋은 발효 식품이다. 또, 피부병을 예방하여 주고 핏속의 콜레스테롤 수치를 낮추어 주며, 각종 성인병 예방에 도움이 되는 성분이 많이 들어 있다.

18 이 글을 읽고 내용을 요약할 때, 꼭 들어가지 <u>않아도</u> 되는 문장은? ·········· (   )

① 채소 발효 식품인 김치류가 있다.
② 수산물 발효 식품인 젓갈류가 있다.
③ 발효 식품은 저장성, 맛과 영양 면에서 뛰어나다.
④ 우리나라의 발효 식품은 주재료에 따라 나누어 볼 수 있다.
⑤ 콩을 발효시킨 된장, 청국장, 간장, 고추장 같은 장류가 있다.

19 이 글을 읽을 때 필요한 배경지식으로 가장 알맞은 것은? ·········· (   )

① 김치 수출량이 증가하고 있다.
② 부패는 균의 증식 현상으로 발생한다.
③ 중국에는 두부를 발효시킨 음식이 있다.
④ 요구르트나 치즈는 건강 식품의 하나이다.
⑤ 우리나라의 발효 식품에는 주류와 식초가 있다.

20 다음 이야기의 시대적 배경으로 알맞은 것은? ································· (   )

> 홍길동: 내 아버지는 양반이나 어머니가 노비라는 이유로 아버지를 아버지라 부르지 못하는구나! 이제 집을 떠나야겠다.
>
> 집을 떠난 홍길동은 도적들을 모아 활빈당을 만든다.
>
> 홍길동: 너희들은 평범한 백성이었다가 굶주림을 견디지 못해 도적이 되었다. 내 이제 너희들과 함께 활빈당을 만들 것이다. 활빈당은 가난한 사람들을 돕는 것을 목적으로 한다.
>
> 활빈당은 탐관오리의 재산을 빼앗아 가난한 사람들에게 나누어 준다.
>
> 탐관오리: 세금을 더 많이 바치거라!
> 홍길동: 어찌하여 백성을 저리도 괴롭힌단 말인가? 고통받는 백성을 구해야겠다.
> 홍길동의 부하들: 무엇이든 명령만 내려 주십시오.
>
> 홍길동과 부하들이 탐관오리의 집에 들이닥친다.
>
> 탐관오리: 으악, 홍길동이다. 도망쳐야지.

① 여자들도 사회 활동을 많이 하였다.
② 신분에 관계없이 능력에 따라 대우를 받았다.
③ 백성의 재물을 탐내어 빼앗는 관리들이 많았다.
④ 태평성대가 계속되어 백성들이 풍요롭게 살았다.
⑤ 일본을 속국으로 삼아 조선의 백성들이 많이 이주하였다.

21 다음 색채어를 활용한 문장이 어색한 것은? ································· (   )
① 그는 시꺼먼 속을 드러냈다.
② 언니는 새빨간 거짓말을 잘하였다.
③ 얼굴에 공을 맞아 푸르스름하게 멍이 들었다.
④ 불합격이라는 소식을 들으니 하늘이 파래졌다.
⑤ 과학자가 되겠다는 푸른 꿈을 안고 열심히 공부하였다.

22 다음 이야기의 내용을 통해 '나'에 대해 파악한 것으로 알맞지 <u>않은</u> 것은? ·········· (   )

> 녀석이 낯선 골목으로 방향을 틀었을 때 온몸의 털이 삐죽 서는 기분이 들었어. 나는 반사적으로 목줄을 잡아 물었어. 이번엔 효과가 있었나 봐. 무작정 달려 나가던 녀석이 눈을 깜빡이며 나를 돌아봤거든.
> "감자야, 놀랐잖아. 내가 빨라서 그래?"
>
> 그때는 버려지는 게 뭔지도 몰랐어. 아기를 품에 안고 내게서 도망치듯 멀어지는 누나를 향해 꼬리까지 흔들었으니 말 다했지. 하지만 지금은 아니야. 두 번째 가족을 만나고 하필이면 이번 가족에게도 아기가 있었지만 두 번의 실수는 없었어. 아기였던 녀석이 꼬마가 될 때까지 나는 한 번도 화를 낸 적이 없단 말이야.
>
> "감자야, 아까부터 왜 그래? 왜 자꾸 놀아 달라고 그래."
> 녀석은 입을 삐죽 내밀며 나를 끌어안았어.
> "빨리 약국 찾아야 한단 말야. 엄마가 기다리잖아. 조금만 착하게 있자."
> 약국?
> 녀석은 다시 걸어갔어.
>
> 「괜찮아, 괜찮아」 박연우

① '나'는 약국에 가는 것을 싫어한다.
② '나'는 개이고, 한 번 버려진 적이 있다.
③ '나'는 지금 다시 버려질까 봐 두려워하고 있다.
④ '나'는 두 번째 집에서 아기가 꼬마가 될 때까지 있었다.
⑤ '내'가 처음 버려진 까닭은 그 집에 아기가 있어서일 것이다.

23 다음 이야기의 〈중략〉된 부분에서 돌쇠가 하였을 행동을 알맞게 짐작한 것은? ·········· (   )

> 먹쇠와 돌쇠가 산에서 꿩을 잡아 구워 먹었다. 배부르게 고기를 먹고 나니 물을 마시고 싶었다. 그런데 물을 마실 수 있는 옹달샘까지는 꽤 걸어가야 했다.
> 그때 먹쇠가 제비를 뽑아 물을 떠 올 사람을 정하자고 하였다. 조약돌 두 개 중에서 하나에 숯으로 표시를 한 뒤에, 표시된 돌을 고른 사람이 물을 떠 오기로 하였다.
> 물을 떠 오기 싫었던 먹쇠는 몰래 돌 두 개에 모두 표시를 하였다. 그리고 돌쇠에게 먼저 돌을 고르라고 하였다. 그런데 돌쇠는 먹쇠가 돌 두 개에 모두 표시를 하는 것을 보았다.
> 〈중략〉
> 결국 먹쇠가 물을 떠 오게 되었다.

① 지게에 나무를 싣고 마을로 돌아간다.
② 먹쇠에게 꿩 사냥을 더 하자고 조른다.
③ 먹쇠에게 옹달샘까지 같이 가자고 한다.
④ 돌 두 개를 옹달샘에 던진 후에 다른 돌로 제비를 만든다.
⑤ 돌쇠가 돌을 고른 후에 멀리 던져 버리고 먹쇠의 돌을 보여 달라고 한다.

[24~25] 다음은 박지원에 대한 설명과 박지원이 쓴 글입니다. 물음에 답하시오.

⑺ 박지원: 조선 시대의 실학자. 양반이 현실로부터 떨어져 헛된 이상만 품는 것을 비판하고, 상공업을 진흥하고 기술을 혁신해야 조선이 발전할 수 있다고 생각함.

⑼ 　　　　　　　　　　　　　　**박지원이 쓴 글**

　새로 부임한 군수가 인사를 하려고 가난한 양반의 집을 찾았다. 그 양반은 가난했지만 공부만 하여 학식이 높은 것으로 이름이 나 있었다. 양반을 본 군수는 깜짝 놀랐다. 기워 입은 옷이 거지와 다를 바 없이 남루하였다.

양반: (군수를 향해 미소를 띠며) 제가 이 산속 마을에 있다 보니 한양 소식을 도통 듣지 못했습니다. 한양 양반님들은 어떻게 지내시나요?
군수: (얼굴을 찌푸리며) 한양에 사는 양반 중에 돈을 받고 양반 신분을 파는 사람이 많아지고 있습니다. 이제 누가 진짜 양반이고 누가 가짜 양반인지 구분도 못 합니다.
양반: (손바닥으로 바닥을 치며) 그깟 돈에 양반의 자존심을 팔다니!

군수가 돌아간 뒤 양반의 아내가 말한다.

양반의 아내: 곡식이 똑 떨어졌어요. 오늘 저녁은 어떻게 해야 할지…….
양반: 관아에서 *환곡을 빌려다 먹고 갚으면 되지 뭘 걱정이오?

*환곡: 조선 시대에 곡식을 저장하였다가 백성에게 봄에 꾸어 주고 가을에 이자를 붙여 거두던 일. 또는 그 곡식.

---

24 글 ⑼의 내용을 파악한 것으로 알맞지 <u>않은</u> 것은? ＿＿＿＿＿＿＿＿＿ (　　　)
　① 신임 군수는 양반을 무시한다.
　② 양반의 아내는 끼니 걱정을 한다.
　③ 가난한 양반은 돈보다 체면을 중시한다.
　④ 가난한 양반은 경제적인 활동은 하지 않는다.
　⑤ 가난한 양반은 환곡을 빌리는 일을 아무렇지 않게 생각한다.

25 박지원이 글 ⑼를 통해 전하고자 하는 생각으로 알맞은 것은? ＿＿＿＿＿＿ (　　　)
　① 신분 제도를 없애야 한다.
　② 환곡의 이자를 낮추어야 한다.
　③ 청나라의 학문을 배워야 한다.
　④ 농업보다 상공업을 중시해야 한다.
　⑤ 양반의 자존심보다 먹고사는 것이 중요하다.

[26~27] 다음 시를 읽고 물음에 답하시오.

> ### 엄마야 누나야
>
> 김소월
>
> 엄마야 누나야 강변 살자
> 뜰에는 반짝이는 금모래 빛
> 뒷문 밖에는 갈잎의 노래
> 엄마야 누나야 강변 살자

26 시에 대한 설명으로 알맞지 <u>않은</u> 것은? ·································· (   )

① 시의 말하는 이는 소년이다.

② 말하는 이는 강변에서 사는 삶을 만족스러워한다.

③ 말하는 이는 평화롭고 조용한 곳을 좋아할 것이다.

④ 말하는 이가 살고 싶어 하는 곳의 뜰에는 모래밭이 있다.

⑤ 말하는 이가 살고 싶어 하는 곳의 뒷문 밖에는 갈대가 심어져 있다.

27 '갈잎'은 [갈립]으로 소리 납니다. 이것과 관련하여 다음 밑줄 그은 낱말의 발음이 알맞지 <u>않은</u> 것은? ························ (   )

① 알약[알냑]은 삼키기가 힘들다.

② 설익은[설리근] 과일을 먹으면 배가 아프다.

③ 멸치볶음에 물엿[물렫]을 넣으면 달고 맛있다.

④ 들일[들:릴]을 하다가 새참으로 국수를 먹었다.

⑤ 휘발유[휘발류]는 자동차나 비행기 따위의 연료로 사용된다.

[28~30] '동물원은 필요한 시설인가'라는 주제로 글을 쓰려고 합니다. 물음에 답하시오.

28 글을 작성하기 위하여 계획한 내용으로 알맞지 <u>않은</u> 것은? ························ (   )

> 1. 동물원의 정의와 역사
> 2. '동물원이 있어야 한다'에 대한 입장
>   ㄱ. 동물을 보호하는 역할·· ①
>   ㄴ. 교육과 학습의 장 ··· ②
> 3. '동물원을 없애야 한다'에 대한 입장
>   ㄱ. 동물에게 적절한 환경 제공의 어려움 ······································· ③
>   ㄴ. 친환경 동물원과 동물원 관련 법률 재정비································ ④
> 4. 사람과 동물에게 모두 도움이 되는 동물원의 방향······························· ⑤

29 글쓰기 자료의 활용 방안으로 알맞지 <u>않은</u> 것은? ························ (   )

> 글쓰기 자료
>
> ㉮ 동물원의 정의와 역사(백과사전)
>   동물원은 동물을 키우고 보호하여 사람들에게 보여 주는 시설이다. 근대 동물원으로 등장한 것은 1752년 오스트리아의 빈에 설립된 쇤부른 동물원이다.
> ㉯ 세계동물원수족관협회의 발표 자료(△△ 신문)
>   동물원 방문객을 대상으로 한 조사에 따르면 동물원을 방문함으로써 동물에 대한 지식을 얻게 됐다고 대답한 방문객의 비율이 63퍼센트를 차지했다.
> ㉰-1 동물원 폐지 국민 여론 조사(○○ 조사 단체)
>   찬성: 61.2퍼센트, 반대: 38.8퍼센트
> ㉰-2 관람객에 의한 동물들의 행동 변화(관련 전문가 면담 내용)
>   "침팬지의 경우 관람객이 있으면 우리 안의 다른 침팬지나 관람객을 향한 공격성이 증가하는 행동을 보입니다."
> ㉱ '동물원 및 수족관의 관리에 관한 법률'에 대한 소개 내용(환경부 자료)
>   동물원 및 수족관이 보유하고 있는 동물의 복지와 서식 환경 개선에 관한 사항을 담고 있다.

① ㉮를 활용해 동물원이 생기게 된 까닭을 제시한다.
② ㉯를 활용해 동물원이 있어야 하는 까닭을 제시한다.
③ ㉰-1을 활용해 동물원 폐지에 대한 찬성 입장이 많음을 제시한다.
④ ㉰-2를 활용해 동물원의 동물들 행동이 관람객에 의해 긍정적으로 바뀜을 제시한다.
⑤ ㉱를 활용해 동물원 동물의 복지를 개선할 수 있는 방안이 법적으로 마련되었음을 보여 준다.

30 계획에 따라 다음과 같은 글을 작성하였습니다. 보완할 수 있는 방안으로 가장 알맞은 것은?

(   )

> 동물원은 동물을 키우고 보호하여 사람들에게 보여 주는 시설이다. 사회에 계급과 권력이 생겨나면서 사람들은 식량이나 이동 수단으로 생각하던 동물들을 구경거리로 생각하게 되었다. 근대 동물원이 등장한 것은 1752년 오스트리아의 빈에 설립된 쇤부른 동물원이다. 오랫동안 있어 왔던 동물원은 요즘에 이르러서 그 존재에 대한 찬반 토론을 불러오게 되었다.
>
> 먼저 동물원이 있어야 한다는 입장에 대한 근거로는 동물 보호를 들 수 있다. 멸종 위기에 처한 동물들을 보호하는 역할을 한다는 것이다. 그리고 동물원은 교육과 학습의 장이 된다. 동물원의 동물들에 대하여 지식과 체험을 쌓을 수 있다. 세계동물원수족관협회의 발표 자료에 따르면 동물원 방문객을 대상으로 한 조사에서 동물원을 방문함으로써 동물에 대한 지식을 얻게 됐다고 대답한 방문객의 비율이 63퍼센트를 차지했다.
>
> 반대로 동물원을 없애야 한다는 입장에 대한 근거로는 동물 학대 문제를 들 수 있다. 동물원에서 하는 동물 쇼는 동물 학대의 대표적인 예이다. 이런 까닭으로 동물원 폐지를 묻는 국민 여론 조사 결과 동물원 폐지를 찬성하는 입장이 반대하는 입장보다 22.4퍼센트나 많았다.
>
> 동물원의 존재에 대한 인식 변화로 우리나라에서도 제도와 인식 개선이 나타나고 있다. '동물원 및 수족관의 관리에 관한 법률'은 동물원과 수족관 관리를 위한 기준을 갖추기 위해 만들어졌다. 그동안 동물원 동물들의 서식 환경에 대한 법적 기준이 없었던 만큼 동물의 복지를 개선할 수 있는 방안이 법적으로 마련된 것이다.

① 글의 신뢰성을 높이기 위해 세계 동물원에 있는 동물의 수를 제시한다.

② 글을 잘 끝맺기 위해 창경궁이 창경원이 되었던 역사적 배경을 설명한다.

③ 우리나라 동물원의 수를 늘렸을 때 세금 지원액에 대한 변화를 제시한다.

④ 체계적인 내용 전개를 위해 동물원 폐지 입장에 대한 근거를 더 보충한다.

⑤ 동물원이 있어야 한다는 주장의 신뢰성을 높이기 위해 동물원에서 퓨마가 탈출했다가 사살된 사건을 예로 든다.

HME 해법국어 학력평가

학 교 명 :

성　　명 :

반 :

현재 학년 :

OMR카드 작성 시 유의사항

1. 학교명, 성명, 학년, 반, 수험 번호, 생년월일, 성별 기재
2. 반드시 원 안에 "●"와 같이 마킹해야 합니다.
3. OMR카드에 답안 이외에 낙서 등 손상이 있는 경우 즉시 감독관에게 문의하시기 바랍니다.
4. 답을 작성하고 마킹을 하지 않는 경우 오답으로 간주합니다.
5. 답안은 작성한 후 반드시 감독관에게 제출해야 합니다.
　 제출하지 않아 발생하는 사고에 대해서는 책임지지 않습니다.

※ OMR카드를 잘못 작성하여 발생한 성적 결과는 책임지지 않습니다.

※ OMR카드 작성 예시 ※

※ 30문항 모두 두 객관식 문제입니다. 정답에 해당하는 보기 숫자에 정확하게 마킹을 하셔야 합니다.

※ 1번 문항의 답이 3번인 경우, 맞게 마킹한 예시

| 1 | ① | ② | ③ | ④ | ⑤ |

〈보기〉

바른 표기:

틀린 표기:

답 란

1	① ② ③ ④ ⑤
2	① ② ③ ④ ⑤
3	① ② ③ ④ ⑤
4	① ② ③ ④ ⑤
5	① ② ③ ④ ⑤
6	① ② ③ ④ ⑤
7	① ② ③ ④ ⑤
8	① ② ③ ④ ⑤
9	① ② ③ ④ ⑤
10	① ② ③ ④ ⑤
11	① ② ③ ④ ⑤
12	① ② ③ ④ ⑤
13	① ② ③ ④ ⑤
14	① ② ③ ④ ⑤
15	① ② ③ ④ ⑤
16	① ② ③ ④ ⑤
17	① ② ③ ④ ⑤
18	① ② ③ ④ ⑤
19	① ② ③ ④ ⑤
20	① ② ③ ④ ⑤
21	① ② ③ ④ ⑤
22	① ② ③ ④ ⑤
23	① ② ③ ④ ⑤
24	① ② ③ ④ ⑤
25	① ② ③ ④ ⑤
26	① ② ③ ④ ⑤
27	① ② ③ ④ ⑤
28	① ② ③ ④ ⑤
29	① ② ③ ④ ⑤
30	① ② ③ ④ ⑤

수 험 번 호

(1) ⓪①②③④⑤⑥⑦⑧⑨
(2) ⓪①②③④⑤⑥⑦⑧⑨

※ (1)번 란에는 이러쿵이아 숫자로 쓰고, (2)번 란에는 해당란에 까맣게 표기해야 합니다.

감 독 인 확 인

성 별

남 ○　여 ○

생 년 월 일

(1) ⓪①②③④⑤⑥⑦⑧⑨
(2) ⓪①②③④⑤⑥⑦⑧⑨

(예시) 2012년 3월 2일생인 경우, (1)번 란
년, 월, 일 둘 빈칸에 12 03 02 를 쓰고,
(2)번 란에는 그 숫자를 마킹합니다.

매일 조금씩 **공부력** UP

똑똑한 하루
독해&어휘

쉽다!

10분이면 하루치 공부를 마칠 수 있는
커리큘럼으로, 아이들이 쉽고 재미있게
독해&어휘에 접근할 수 있도록 구성

재미있다!

교과서는 물론 생활 속에서 쉽게
접할 수 있는 다양한 소재를 활용해
흥미로운 학습 유도

똑똑하다!

초등학생에게 꼭 필요한 상식과 함께
창의적 사고력 확장을 돕는
게임 형식의 구성으로 독해력&어휘력 학습

공부의 핵심은 독해!
예비초~초6, A/B, 총 14권

독해의 시작은 어휘!
예비초~초6, A/B, 총 14권

#차원이_다른_클라쓰
#강의전문교재
#초등교재

수학교재

● 수학리더 시리즈
- 개념 수학리더   1~6학년/학기별
- 기본 수학리더   1~6학년/학기별
- 응용 수학리더   1~6학년/학기별

● 닥터유형   1~6학년/학기별

● 수학도 독해가 힘이다   1~6학년/학기별

● 수학의 힘 시리즈
- 실력 수학의 힘(알파)   3~6학년/학기별
- 유형 수학의 힘(베타)   1~6학년/학기별
- 최상위 수학의 힘(감마)   1~6학년/학기별

● Go! 매쓰 시리즈
- Go! 매쓰(Start) *교과서 개념   3~6학년/학기별
- Go! 매쓰(Run A/B/C) *교과서+사고력   1~6학년/학기별
- Go! 매쓰(Jump) *유형 사고력   1~6학년/학기별

● 계산박사   1~12단계

전과목교재

● 리더 시리즈
- 국어   1~6학년/학기별
- 사회   3~6학년/학기별
- 과학   3~6학년/학기별

시험 대비교재

● 해법수학 단원마스터   1~6학년/학기별

● HME 수학 학력평가   1~6학년/상·하반기용

● HME 국어 학력평가   1~6학년

Haebub Measurement and Evaluation of korean

HME 국어 학력평가는

매년 전국 단위로 실시하는 국어 학력평가로,
독해, 어휘, 문법 등의 국어 기초 능력과 학년별 국어 학습 성취도를 평가하는
시험입니다. 전국 단위의 평가로 진행되어 학생들의 국어 학습 수준과 성취도를
객관적으로 평가 받을 수 있습니다.

HME 국어 학력평가

정답과 해설

초등
6 학년

천재교육

정답과 해설 포인트 4가지

▶ 혼자서도 이해할 수 있는 친절한 문제 풀이

▶ 헷갈리는 보기는 〈왜 틀렸을까?〉에서 보다 자세히 설명

▶ 유형별 문항을 푸는 요령과 답안 선택 시 주의할 점 제시

▶ 출제 문항에서 꼭 알아야 할 국어 지식과 학습 개념 꼼꼼 정리

HME 국어 학력평가

정답과 풀이 차례

대표 유형 문제

실전 모의고사

대표 유형 문제 　듣기·말하기

문항 번호	정답	유형	평가 내용	난이도	제재
1	③	사실	대화의 주제 파악하기	보통	대화
2	③	사실	대화에서 알 수 있는 사실 파악하기	보통	대화
3	⑤	사실	대화의 내용 파악하기	쉬움	대화
4	⑤	추론	인물의 행동 짐작하기	어려움	이야기
5	③	추론	일의 원인 파악하기	보통	이야기
6	③	비판·감상	의견의 신뢰성 판단하기	어려움	발표
7	③	생성·조직	글에 들어갈 내용 알기	보통	발표
8	④	생성·조직	글의 짜임 파악하기	어려움	발표

풀이

1 정우의 말에서 대화의 주제가 우리나라 청소년의 운동 부족이라는 것을 알 수 있습니다.

2 소민이의 말에서 우리나라는 국민 소득은 높은데 청소년 운동 부족이 심각하다는 사실을 알 수 있습니다.

3 스마트폰이나 인터넷 사용 시간의 증가가 청소년 운동 부족의 원인입니다.

4 노벨은 "죽음의 상인, 드디어 사망"이라는 제목의 신문 기사를 보고 아마 자신이 죽은 후에 이러한 나쁜 평판을 얻을 것이라고 예상했을 것입니다.

> **왜 틀렸을까?**
> 노벨이 충격을 받은 것은 신문 기사의 내용이 잘못된 것이어서가 아니라 자신이 죽은 이후에 "죽음의 상인"이라고 불릴 것을 예상했기 때문입니다.

5 노벨이 만든 다이너마이트가 전쟁에서 수많은 사람을 죽인 폭탄으로 사용되었기 때문에 '죽음의 상인'이라고 비난을 받은 것입니다.

6 종원이가 제시한 설문 조사 결과를 보면 몇 명을 대상으로 한 조사인지, 출처가 어디인지도 나타나 있지 않습니다. 그리고 청소년의 경우에는 절반에도 미치지 못하는 사람들이 인터넷 사용 시간을 제한하면 게임 중독을 방지할 수 있다고 하였으므로 의견을 뒷받침하지 못합니다.

7 장소의 바뀜에 따라 글이 짜여졌다는 것을 파악한다면 다음에는 동헌에 대한 내용이 이어진다는 것을 알 수 있습니다.

8 장소의 바뀜에 따라 글을 구성할 수 있는 것을 찾아봅니다.

평가 개념과 도움말

4 노벨은 지금까지 번 돈을 기부하여 문명의 발달과 인류 복지에 이바지한 사람에게 상을 주기로 한 것입니다. 이것이 노벨상이 생기게 된 배경입니다.

6 의견에 대한 신뢰성을 판단할 때에는 자료가 믿을 만한지, 출처가 정확한지, 근거가 타당하게 의견을 뒷받침하는지 등을 살펴봅니다.

대표 유형 문제 · 읽기

교재 | 16 ~ 21쪽

문항 번호	정답	유형	평가 내용	난이도	제재
1	③	내용 확인	글의 중심 내용 파악하기	보통	설명하는 글
2	④	내용 확인	글의 내용 파악하기	보통	설명하는 글
3	③	내용 확인	글에서 알 수 있는 사실 파악하기	어려움	설명하는 글
4	⑤	평가·감상	근거의 타당성 평가하기	보통	주장하는 글
5	③	평가·감상	주장과 근거를 알맞게 연결하기	어려움	전기문
6	⑤	추론	일의 까닭을 짐작하기	보통	설명하는 글
7	①	추론	표현의 의미를 짐작하기	보통	설명하는 글
8	②	추론	글에 들어갈 내용을 짐작하기	쉬움	설명하는 글
9	⑤	추론	사건을 짐작하기	어려움	정보를 주는 글
10	①	추론	대화를 바탕으로 사실을 짐작하기	보통	정보를 주는 글

풀이

1 '마음의 방황' 상태에 있을 때에는 대부분 과거의 불쾌했던 기억을 떠올리고 미래에 대한 걱정을 합니다.

┤ 왜 틀렸을까? ├
① '마음의 방황' 상태에 있을 때에는 대부분 기분이 좋지 않습니다.
② '마음의 방황' 상태와 휴식의 관련성은 글에 나타나지 않습니다.
④ '마음의 방황' 상태에 있을 때에는 과거의 불쾌했던 기억을 떠올리게 됩니다.
⑤ 미래의 일에 대한 괜한 걱정보다는 현재 자신이 하고 있는 일에 집중해야 합니다.

2 한글은 표현하지 못하는 발음이 거의 없는 문자입니다.

┤ 왜 틀렸을까? ├
① '한글'이라는 이름은 주시경이 만들었습니다.
② 양반은 세종 대왕의 훈민정음 창제를 싫어했습니다.
③ '훈민정음'이 '백성을 가르치는 바른 소리'라는 뜻입니다.
⑤ 훈민정음을 만든 바탕은 세종 대왕의 애민 정신입니다.

3 적은 수의 글자로 많은 소리를 표기할 수 있다는 뜻이 담겨 있습니다.
한글이 우수한 문자 체계라고 하는 까닭에는 다음과 같은 점이 있습니다. 한글은 그 제자 원리가 독창적이고 과학적인 문자이며, 쉽고 빨리 배울 수 있는 문자입니다. 그리고 한글은 컴퓨터, 휴대 전화 등 기계화에 적합한 문자입니다.

평가 개념과 도움말

1 중심 내용은 글에서 전달하고자 하는 중요한 내용입니다. 중심 내용을 찾을 때에는 글의 제목, 글에서 자주 나오는 낱말, 각 문단의 중심 문장 등을 살펴보아야 합니다.

4 글에 나타난 주장과 근거 및 근거의 타당성을 평가하면 다음과 같습니다.

주장	자연을 보호하자(보호해야 한다).
근거	근거의 타당성 평가하기
자연은 한 번 파괴되면 복원하기가 어렵다.	• 자연을 보호하자는 주장에 대한 근거로 알맞다. • 근거를 뒷받침하는 예로 나무 한 그루의 성장 기간과 우유 한 컵을 정화시키는 물의 양을 들어서 적절하다.
무리한 자연 개발은 생태계를 파괴한다.	• 자연을 보호하자는 주장에 대한 근거로 알맞다. • 근거를 뒷받침하려고 생태계 변화가 사람에게 나쁜 영향을 미친다는 것을 말하여서 적절하다.
자연은 우리 후손의 삶을 위한 터전이다.	• 자연을 보호하자는 주장에 대한 근거로 알맞다. • 자연이 우리 후손의 삶의 터전이므로 개발에 노력해야 한다는 것은 주장과 반대되므로 알맞지 않다.

5 글을 읽고 파악할 수 있는 주장과 근거를 정리하면 다음과 같습니다.

주장	근거
의병을 도와 나라를 구해야 한다.	일제의 침략으로 나라를 빼앗길 위기가 닥쳤기 때문이다.
의병을 도우려면 모금을 해야 한다.	의병 운동 상황이 어렵다(의병 운동을 하는 데 자금이 많이 부족하다).
여자들도 왜놈들을 몰아내는 일을 해야 한다.	자식을 왜놈의 종으로 살게 할 수 없기 때문이다.
여자들이 의병 운동을 해도 소용없다.	조정 대신이 나라를 팔아먹으려고 하기 때문이다.

6 앞부분에 6.25 전쟁 직후 미국의 식량 원조로 밀가루가 우리나라에 많이 들어오면서 국수가 간편하게 먹는 음식이 되었다고 하였습니다. 그러므로 그전에는 우리나라에 밀가루가 귀했다는 것을 알 수 있습니다.

7 국수를 혼례식에 온 하객들에게 대접했다는 것에서 의미를 추론할 수 있습니다.

8 긴 국수 가락과 관련지어 생각해 보면 '오래 산다'는 의미가 담겨 있다는 것을 알 수 있습니다.

9 실성왕은 내물왕 때 고구려에 인질로 보내진 적이 있어서 내물왕에게 복수하는 마음으로 그의 아들 미사흔 왕자를 왜국에 볼모로 보내 버렸다는 것을 짐작할 수 있습니다.

10 지혜와 용맹을 겸비한 사람만이 할 수 있다는 말 다음에 박제상을 추천하였으므로 박제상이 지혜와 용맹을 갖추었다는 것을 알 수 있습니다.

4 근거의 타당성을 평가할 때에는 근거가 주장과 관련 있는지, 주장을 뒷받침하는지 등을 살펴보아야 합니다. 근거를 뒷받침하는 내용, 예나 자료 등이 알맞지 않으면 근거가 타당하다고 할 수 없습니다.

7 관용 표현 '국수를 먹다.'는 결혼식 피로연에서 흔히 국수를 대접하는 데서, 결혼식을 올리는 일을 비유적으로 이르는 말입니다.

대표 유형 문제 — 쓰기

교재 | 24 ~ 26쪽

문항 번호	정답	유형	평가 내용	난이도	제재
1	⑤	내용 생성	주제에 대하여 떠오르는 생각을 생각 그물로 표현 하기	보통	설명하는 글
2	③	내용 생성	주제와 관련된 배경지식 떠올리기	보통	설명하는 글
3	③	내용 조직	논설문에 들어가는 내용 파악하기	보통	주장하는 글
4	①	내용 조직	주장에 대한 근거 떠올리기	어려움	주장하는 글
5	②	표현 · 고쳐쓰기	글에 들어갈 표현 알기	쉬움	정보를 주는 글
6	④	표현 · 고쳐쓰기	글에 들어갈 내용 파악하기	어려움	정보를 주는 글

풀이

1 '스마트폰으로 인한 눈 질환 예방 방법'을 주제로 글을 쓸 때 관련된 내용으로는 스마트폰 화면을 보는 자세, 스마트폰을 사용하는 장소, 스마트폰을 사용하는 시간, 스마트폰 화면의 밝기가 있습니다.

2 주제가 스마트폰으로 인한 눈 질환 예방 방법이므로 주제와 관련된 배경지식으로는 스마트폰 화면의 글자 크기와 눈과의 거리가 알맞습니다.

3 주장이 '사이버불링을 예방하고 근절하기 위한 적극적인 노력을 해야 한다.'이므로 예방하고 근절하기 위한 구체적인 방법을 근거로 들어야 합니다.

> ⊣ 왜 틀렸을까? ⊢
> 근거 1은 학교 폭력이 시작되는 원인에 대한 것으로 표에 나타난 주장에 대한 알맞은 근거가 될 수 없습니다. '사이버불링도 범죄라는 인식을 가져야 하며 누리소통망에서도 사이버불링에 대한 안전 장치를 마련한다.'와 같은 내용이 근거로 알맞습니다.

4 '사이버불링의 가해자에 대한 처벌 강화'가 주장에 대한 근거로 알맞습니다.

> ⊣ 왜 틀렸을까? ⊢
> ② 경진이는 사이버불링의 뜻에 대하여 말하였습니다.
> ③, ④, ⑤ 지후, 건우, 민호는 사이버불링의 특징에 대하여 말하였습니다.

5 글의 내용이 반려견 예절 교육에 대한 것인데 돌아다닐 때 반려견의 복지를 위해 목줄을 **빼야** 한다는 내용은 알맞지 않습니다.

6 반려견 예절 교육에 대한 구체적인 방법이 드러나야 읽는 사람이 이해하기 쉽습니다.

평가 개념과 도움말

2 배경지식은 내가 원래부터 알고 있었던 경험이나 지식을 말합니다. 직접 겪은 것도 있고 책이나 인터넷과 같은 매체를 통해서도 얻을 수 있습니다.

6 쓰기의 '표현하기' 과정에서는 주제와 관련된 내용이 체계적이고 구체적으로 들어가야 합니다.

정답과 풀이

대표 유형 문제 · 문법

교재 | 29 ~ 31쪽

문항 번호	정답	유형	평가 내용	난이도
1	④	문장 · 담화	문장 호응이 어색한 까닭 파악하기	어려움
2	①	문장 · 담화	문장의 호응 관계 알기	보통
3	④	발음 · 표기 · 규범	알맞게 발음하기	어려움
4	②	발음 · 표기 · 규범	의존 명사를 바르게 띄어쓰기	보통
5	①	한글 체계	한글의 특성 알기	쉬움
6	④	한글 체계	한글의 우수성 알기	보통

풀이

1 '여기에서 새로 만난 담임 선생님께서도 친절하게 잘 대해 주시고, 친구들도 친절하게 잘 대해 줘.'와 같이 써야 문장 호응이 알맞습니다. 이것은 높임의 대상을 나타내는 말과 서술어가 호응되어야 하기 때문입니다.

2 '할머니께서 가게에 들어가신다.'는 높임의 대상을 나타내는 말과 서술어의 호응이 알맞은 문장입니다.

┤ 왜 틀렸을까? ├
② '겨우'는 '어렵게 힘들여.'의 뜻을 가진 말로 서술어도 이에 호응해야 합니다.
③ '만약'은 '혹시 있을지도 모르는 뜻밖의 경우에.'의 뜻을 가진 말로 뒤에는 어떤 조건을 내세우는 뜻의 서술어와 호응합니다.
④ '비록'은 '아무리 그러하더라도.'의 뜻을 가진 말로 '-ㄹ지라도', '-지마는'과 같은 말이 붙는 서술어와 함께 쓰입니다.
⑤ '반드시'는 '틀림없이 꼭.'의 뜻을 가진 말로 약속이나 다짐, 또는 꼭 일어나는 일을 나타내는 뜻의 서술어와 호응합니다.

3 '쌓'의 받침 'ㅎ'이 뒤의 글자 '는'의 첫 자음자 'ㄴ'을 만나면 'ㅎ'이 'ㄴ'으로 바뀌어 발음됩니다.

┤ 왜 틀렸을까? ├
① 닿을[다을] ② 놓고[노코] ③ 좋다[조:타] ⑤ 놓아라[노아라]

4 '데', '지', '만', '만큼', '바'와 같은 의존 명사는 띄어 씁니다.

5 문해율은 글을 읽고 이해하는 비율을 나타내는 말로, 우리나라는 문해율이 매우 높은 국가에 속합니다. 이것으로 한글은 간결하고 배우기 쉬운 글자라는 것을 알 수 있습니다.

6 한글 자판은 한글의 자음자와 모음자의 획을 더하는 원리에 기초하여 설계되어서 쉽고 빠르게 글자를 입력할 수 있습니다.

평가 개념과 도움말

1 문장에서 어떤 대상이나 상대가 높임의 대상이 될 때, 서술어로 높임말이 어울리게 와야 합니다.

4 의존 명사는 반드시 그 앞에 꾸며 주는 말이 있어야 쓸 수 있는 의존적인 말이지만, 자립 명사와 같은 명사 기능을 하므로 낱말로 취급됩니다. 따라서 앞말과 띄어 씁니다.

대표 유형 문제 문학

문항 번호	정답	유형	평가 내용	난이도	제재
1	②	지식	희곡의 구성 단계 파악하기	쉬움	희곡
2	⑤	지식	희곡 구성 요소의 기능 이해하기	보통	희곡
3	④	수용과 생산	이야기에서 인물의 행동에 담긴 뜻 짐작하기	어려움	이야기

풀이

1 희곡은 보통 다음의 다섯 단계로 구성됩니다.

발단	인물과 배경이 소개되고 인물 사이에 어떤 대립이나 충돌이 일어날지 실마리가 제시됨.
전개	사건이 진행되면서 인물 사이의 대립이나 충돌이 점차 심해짐.
절정	인물 사이의 대립이나 충돌이 가장 심해지고 큰 긴장이나 감동을 불러일으키는 장면이 나타남.
하강	인물 사이의 대립이나 충돌이 풀어지는 기운이 돌기 시작함.
대단원	인물 사이의 대립이나 충돌이 풀어지고 모든 사건이 해결됨.

문제에 주어진 글은 희곡의 발단 단계로 중심인물인 배낭을 멘 노인이 소개되는 장면입니다.

┤ 왜 틀렸을까? ├
③ 긴장감을 높이는 단계가 아닙니다.
⑤ 식당 주인과 마을 사람들 사이의 갈등을 예상할 수 없습니다.

2 희곡의 구성 요소

해설	희곡의 처음에 나와 무대 장치, 인물, 배경 등을 설명함.
대사	등장인물끼리 주고받거나 등장인물 혼자서 하는 말이거나 관객에게는 들리나 상대 인물에게는 들리지 않는 것으로 약속하고 하는 말
지문	등장인물의 행동, 표정, 말투 등을 지시함.

희곡은 인물의 대사를 중심으로 사건이 전개됩니다. 인물의 대사를 통해 그 인물의 성격을 알 수 있고, 인물 사이의 대화를 통해 사건의 내용과 대립이나 충돌의 상황도 알 수 있습니다.

3 장이의 아버지가 천주학 책을 베꼈다는 이유만으로 관아에 끌려가 모진 고문을 받았다는 것에서 당시의 시대 상황은 천주학을 엄격하게 금지했다는 것을 알 수 있습니다. 그래서 지물포 주인 오 씨는 장이의 아버지가 걱정되기는 하지만 장이네 집에 갔다가는 자칫 천주학과 관계가 있다는 오해를 받을지도 모른다고 생각하였던 것입니다.

평가 개념과 도움말

1 희곡은 공연을 하기 위하여 무대에서 배우가 할 말이나 동작, 표정, 배경 등을 쓴 글입니다.

2 희곡의 대사는 간결하고 흥미 있어야 관객들에게 잘 전달되고 이해되기 쉽습니다.

3 이야기의 시대적 배경은 인물의 행동이나 사건 전개와 관계가 있습니다.

정답과 풀이

대표 유형 문제   어휘

문항 번호	정답	유형	평가 내용	난이도
1	③	개념	동형어의 뜻 파악하기	보통
2	⑤	개념	동형어가 들어간 문장의 뜻 파악하기	어려움
3	②	개념	문장에 알맞은 동형어 알기	쉬움
4	④	관계	다의어의 뜻 파악하기	어려움
5	③	관계	포함 관계의 낱말 알기	보통
6	①	관계	유의 관계의 낱말 알기	쉬움
7	④	의미	낱말의 뜻 파악하기	보통
8	⑤	의미	단위를 나타내는 낱말의 뜻 알기	어려움
9	④	확장	파생어와 합성어 구분하기	어려움

풀이

1 동형어 '말다'의 뜻
- 밥이나 국수 따위를 물이나 국물에 넣어서 풀다.
- 종이나 김 따위의 얇고 넓적한 물건에 내용물을 넣고 돌돌 감아 싸다.

2 '학생들로 차서', '습기로 차고'에서 '차다'의 뜻이 같습니다.

3 동형어 '타다'에는 '불씨나 높은 열로 불이 붙어 번지거나 불꽃이 일어나다.'와 '탈것이나 짐승의 등 따위에 몸을 얹다.'의 뜻이 있습니다.

4 '기억을 살려', '추억을 살려'의 '살리다'에는 '다시 떠오르게 하다.'의 뜻이 있습니다.

5 다른 낱말의 뜻을 포함하는 낱말과 다른 낱말의 뜻에 포함되는 낱말의 관계입니다. ③은 반대되는 뜻을 가진 낱말입니다.

6 문장의 낱말 대신에 다른 낱말을 넣었을 때 뜻이 통하는 것을 찾습니다.

7 '눈시울'은 '눈언저리의 속눈썹이 난 곳.'을 뜻합니다.

8 '손'은 조기, 고등어, 배추 같은 것을 세는 단위로, '한 손'은 큰 것 하나와 작은 것 하나를 합한 것이므로 숫자로는 2를 나타냅니다.

9 '부채+-질', '풋-+과일', '군-+소리'는 파생어입니다.

> ┤ 왜 틀렸을까? ├
> '논밭', '고무신', '봄비'는 합성어입니다.

평가 개념과 도움말

1 동형어는 글자는 같지만 서로 다른 뜻을 가진 낱말입니다.

2 동형어 '차다'의 뜻
① 몸에 닿은 물체나 대기의 온도가 낮다.
② 인정이 없고 쌀쌀하다.
③ 발로 내어 지르거나 받아 올리다.
④ 물건을 몸의 한 부분에 달아매거나 끼워서 지니다.
⑤ 일정한 공간에 사람, 사물, 냄새 따위가 더 들어갈 수 없이 가득하게 되다.

9 파생어는 어근(뜻이 있는 낱말)과 접사(뜻을 더해 주는 말)의 결합으로, 합성어는 두 개 이상의 어근의 결합으로 된 낱말입니다.

실전 모의고사 1회

문항 번호	정답	대영역	중영역	평가 내용	난이도	배점
1	②	듣기·말하기	추론	면담 전에 한 일 짐작하기	보통	3점
2	③	듣기·말하기	생성·조직	면담 주제를 파악하여 알맞게 질문하기	보통	4점
3	①	듣기·말하기	사실	안내 방송의 내용 파악하기	쉬움	3점
4	①	어휘	의미	외래어를 알맞은 낱말로 바꾸기	보통	3점
5	②	읽기	평가·감상	반론할 수 있는 근거 찾기	보통	3점
6	④	어휘	관계	다의어의 뜻을 알기	어려움	4점
7	③	읽기	추론	글을 읽고 알 수 있는 내용을 짐작하기	보통	3점
8	⑤	문법	발음·표기·규범	띄어쓰기를 바르게 하기	어려움	4점
9	④	읽기	내용 확인	글의 설명 방식 파악하기	어려움	4점
10	④	읽기	내용 확인	뉴스에서 다루고 있는 내용 알기	쉬움	3점
11	①	읽기	내용 확인	뉴스의 짜임 파악하기	어려움	4점
12	⑤	읽기	추론	공익 광고의 내용과 주제 파악하기	보통	3점
13	③	읽기	추론	내용이나 도표를 보고 사실 짐작하기	어려움	4점
14	①	읽기	내용 확인	글쓴이의 관점을 알 수 있는 표현 찾기	보통	3점
15	②	읽기	평가·감상	글쓴이의 관점 파악하기	보통	3점
16	⑤	읽기	내용 확인	글에서 생략된 문장 짐작하기	보통	3점
17	②	읽기	추론	글을 읽고 내용 짐작하기	어려움	4점
18	①	문학	지식	글의 내용을 파악하기	보통	3점
19	①	어휘	개념	낱말의 뜻 알기	보통	3점
20	⑤	문학	수용과 생산	글의 주제 짐작하기	어려움	3점
21	④	문학	지식	이야기나 희곡의 구성 요소 알기	어려움	4점
22	⑤	문학	수용과 생산	희곡에서 알맞은 지문 찾기	쉬움	3점
23	⑤	문학	수용과 생산	시의 내용 파악하기	어려움	3점
24	①	문학	수용과 생산	시를 읽고 장면을 알맞게 떠올리기	쉬움	3점
25	②	문법	문장·담화	문장 호응에 맞게 글을 고쳐쓰기	어려움	3점

26	④	문법	문장·담화	문장 호응에 맞게 글을 고쳐쓰기	보통	3점
27	②	어휘	의미	맞춤법이 바른 낱말 알기	어려움	4점
28	⑤	쓰기	내용 생성	글로 쓸 내용을 알맞게 떠올리기	보통	3점
29	③	쓰기	내용 조직	글의 주제에 맞게 논설문의 개요 짜기	보통	3점
30	⑤	쓰기	표현·고쳐쓰기	글의 통일성을 위해 문단을 알맞게 배치하기	어려움	4점

풀이

1 "지난주에 말씀드린 대로"라는 서우의 말에서 면담을 하기 전에 소방관에게 연락하여 약속 시각과 장소를 정하고 어떤 주제로 면담을 할지 전달하였다는 것을 알 수 있습니다.

2 면담 주제가 '소방관이 하는 일과 보람 있었던 일'이라는 것을 서우의 말에서 알 수 있습니다. 소율이가 소방관이 하는 일에 대한 질문을 하였으므로 소방관으로서 보람 있었던 일에 대한 질문을 하는 것이 알맞습니다.

3 열차의 종착역에 대한 내용은 없습니다. 안내 방송을 들을 때에는 전달하려는 정보를 정리하여 듣고 자신에게 필요한 정보를 기억해 두는 것이 좋습니다.

4 승강장과 지하철이 다니는 선로 사이를 차단하는 문은 '스크린 도어'라고 하는데 '안전문'으로 순화하여 쓸 수 있습니다.

5 글에서는 아파트에서 반려동물을 기르지 말아 달라는 의견에 대한 근거로 세 가지를 제시하였습니다. 나눔아파트라는 제한된 공간에서 입주민들을 대상으로 쓴 글이므로 반론을 펼칠 때에도 입주민들이 실천할 수 있는 정도가 좋습니다. 그래서 ②에서 제시한 '반려동물 성대 제거 수술 법제화'는 알맞지 않습니다. '반려동물이 내는 소리에 대한 대응이나 교육을 통해 문제 해결을 해야 한다.' 정도가 반론으로 알맞습니다.

6 다의어의 뜻을 파악하는 문제입니다. 다의어는 하나의 낱말이 두 가지 이상의 관련된 뜻으로 쓰이는 것입니다. 다의어의 뜻을 파악하려면 그 낱말이 쓰인 앞뒤의 내용을 잘 살펴보는 것이 좋습니다.
① 머리를 길러서 → 머리카락이나 수염 따위를 깎지 않고 길게 자라도록 하다.
② 습관을 기르렴 → 습관 따위를 몸에 익게 하다.
③ 체력을 기르려면 → 육체나 정신을 단련하여 더 강하게 만들다.
④ 화초를 기르는 → 동식물을 보살펴 자라게 하다.
⑤ 병을 기르면 → 병을 제때에 치료하지 않고 증세가 나빠지도록 내버려 두다.

평가 개념과 도움말

1 면담은 알고 싶은 내용에 대하여 이야기하는 것입니다. 면담 질문과 대답을 통해서 알고 싶은 정보를 빠르고 정확하게 알 수 있다는 장점이 있습니다.

5 반론을 할 때에는 주장과 근거가 신뢰 있는지, 논리적인 오류가 없고 뒷받침하는 근거가 타당한지 등을 살펴봅니다.

7 고인돌은 무게가 무거운 돌을 운반하여 세우거나 덮어야 했으므로 수많은 사람을 동원해야 했을 것입니다. 이런 이유에서 고인돌을 주로 지배자의 무덤이라고 추론하는 것입니다. 그리고 남방식 고인돌이 한반도 중부 이남 지역에서 보이므로 북방식 고인돌은 한반도 중부 이북 지역에서 주로 볼 수 있다는 것을 추론할 수 있습니다. 고창 고인돌 유적지는 전라북도 고창군에 있는 것으로 한반도 중부 이남 지역이므로 대부분 남방식 고인돌의 형태인 바둑판식 고인돌이 많을 것이라고 추론할 수 있습니다.

8 ① '것'과 같은 의존 명사는 앞말과 띄어 씁니다.

② '겸'과 같이 두 말을 이어 주거나 열거할 때 쓰이는 말은 띄어 씁니다.

③ 성명 뒤에 붙는 호칭은 띄어 씁니다.

④ '대'와 같이 단위를 나타내는 말은 앞말과 띄어 씁니다.

⑤ 보조 용언은 띄어 씀을 원칙으로 하되 경우에 따라 붙여 씀도 허용합니다.

9 글에서는 천일염과 암염의 비슷한 점과 다른 점에 대하여 설명하였습니다. 그러므로 이 글의 설명 방식과 같은 방법으로 설명할 수 있는 것은 야구와 축구의 공통점과 차이점입니다.

10 비가 많이 오는 날에도 작은 우산을 쓰는 것이 교통사고 예방에 좋다는 내용은 나오지 않습니다.

11 ② 이 뉴스 원고에는 기자의 마무리가 나타나 있지 않습니다

③ 진행자의 도입에서 뉴스에서 보도할 내용을 유도하거나 전체를 요약하여 안내하였습니다.

④ 기자의 보도에서 뉴스 내용을 자세하게 보도하고 시청자의 이해를 도우려고 면담 자료나 통계 자료로 설명합니다.

⑤ 경찰관의 면담 내용을 보면 비 오는 날 우산을 바르게 쓰는 방법을 알 수 있습니다.

12 장면 **1**, **2**, **3**에서 음식물 쓰레기가 많이 생기는 원인을 제시하였고, 장면 **6**에서 버려야 할 잘못된 음식 문화에 대해 보여 주었습니다.

13 글을 읽고 외국의 교통 표지판처럼 우리나라의 교통 표지판을 개선해야 한다는 내용을 추론할 수는 없습니다.

14 글에서 ⓒ~ⓜ은 글쓴이의 관점을 알 수 있는 표현이지만, ⓝ은 관객이 리마 선수를 밀친 일을 가리킵니다.

15 글쓴이는 리마 선수 이야기를 통해 진정한 올림픽 정신은 순위에 관계없이 최선을 다하는 것이고 리마 선수가 이러한 올림픽 정신을 보여 주었다는 것을 말하고 싶어 합니다.

16 외래어는 다른 나라에서 들어온 말로 우리말에서 널리 쓰이는 낱말입니다.

7 추론은 글에 드러난 내용을 바탕으로 하여 드러나지 않은 내용을 미루어 짐작하는 것입니다.

9 글의 표현 및 전개 방법으로는 정의, 예시, 분류, 분석, 인과, 과정, 비교, 대조, 열거 등이 있습니다.

12 공익 광고는 기업이나 단체가 공공의 이익을 목적으로 만든 광고입니다.

14 글쓴이가 사물이나 현상에 대하여 생각하는 태도나 방향을 글쓴이의 관점이라고 합니다.

16 외래어는 나라 사이의 교류에 따라 영어나 일본어 등의 말이 들어오면서 빌려 쓰게 된 말입니다.

17 요즈음에는 고유어 대신에 외래어를 많이 쓰는 것이 문제가 되고 있습니다.

18 박지원이 고추장을 담갔다는 것에서 당시 선비들이 집안일을 하는 것을 자랑스럽게 여겼다는 것을 파악할 수는 없습니다.

19 '어영부영'은 '뚜렷하거나 적극적인 의지가 없이 되는대로 행동하는 모양.'을 뜻하는 낱말입니다.

20 청년은 포도주를 엎지르지 않는 일에만 온 신경을 쓰고 시내를 한 바퀴 도느라 아무것도 보지 못하고 듣지도 못하였습니다. '포도주를 엎지르지 않는 일'을 '인생의 성공'이라고 한다면 성공 비결은 포도주를 엎지르지 않기 위해 그 일에만 집중하여 최선을 다하는 것이라고 할 수 있습니다.

21 인물의 대화를 통해서만 사건 진행을 알 수 있는 것은 희곡입니다.

22 주모는 원님이 와서 자신의 딸인 덕진을 찾자 궁금하기도 하면서도 걱정이 되었을 것입니다. 덕진은 자신이 원님에게 쌀을 빌려준 적이 없고 저승의 일은 알지 못하므로 왜 원님이 자신에게 쌀을 갚는지 궁금하였을 것입니다.

23 시에서 말하는 이는 눈이 지붕, 길, 밭을 덮어 주어서 춥지 않게 해 준다고 표현하였습니다.

24 눈이 마치 이불이 덮인 것처럼 지붕, 길, 밭에 많이 쌓인 장면이 떠오릅니다.

25 '누가'에 해당하는 말이 '부모님께서는'이므로 이에 호응되도록 '말씀하신다'라고 쓰는 것이 알맞습니다.

26 '비록'은 '-ㄹ지라도', '-지마는'과 같은 말과 어울립니다.

27 '주꾸미'가 바른 표기입니다.

28 문제 상황을 보면 국적 없는 기념일을 챙기지 말아야 하는 까닭을 근거로 들어 글을 써야 함을 알 수 있습니다. 근거 3은 국적 없는 기념일을 챙겼을 때의 좋은 점으로 알맞습니다.

29 숲을 보호하자는 주제로 글을 쓰는데 숲을 개간하여 경작지를 만들 수 있다는 근거는 알맞지 않습니다.

30 논설문은 서론, 본론, 결론으로 짜여집니다. 서론에서는 글을 쓰게 된 문제 상황과 글쓴이의 주장을 밝힙니다. 본론에서는 글쓴이의 주장에 대한 적절한 근거를 제시합니다. 결론에서는 글 내용을 요약하기도 하고 글쓴이의 주장을 다시 한번 강조할 수도 있습니다. 글 ㈏가 서론, 글 ㈐, ㈑, ㈒가 본론, 글 ㈎가 결론 부분입니다. 본론 부분의 글의 순서는 **29**번 문제에서 글을 쓰기 위한 계획을 짰을 때의 순서를 따르는 것이 알맞습니다.

21 이야기의 구성 요소에서 인물은 이야기에 나오는 '누구'이고, 사건은 이야기에서 인물들이 겪는 일입니다. 그리고 배경은 '언제', '어디에서'에 해당하는 것입니다.

24 시를 읽고 장면을 떠올릴 때에는 시의 내용을 이해하고 비유하는 표현이나 꾸며 주는 말 등을 잘 살펴봅니다.

29 논설문은 문제 상황에 대하여 자기의 생각이나 주장을 조리 있고 짜임새 있게 밝혀 쓴 글입니다. 문제 상황에 대한 글쓴이의 생각이나 의견을 주장이라고 하고, 주장을 뒷받침하는 내용을 근거라고 합니다.

실전 모의고사 2회

문항 번호	정답	대영역	중영역	평가 내용	난이도	배점
1	②	듣기·말하기	추론	토론에서 주장에 대한 근거 파악하기	어려움	4점
2	⑤	듣기·말하기	사실	강연의 내용 알기	쉬움	3점
3	①	듣기·말하기	비판·감상	강연 내용을 읽고 사실 파악하기	보통	3점
4	⑤	읽기	내용 확인	설명과 그림을 보고 내용 파악하기	보통	3점
5	③	어휘	확장	파생어에서 접사 알기	어려움	4점
6	⑤	듣기·말하기	비판·감상	대화의 문제 상황을 해결하는 방법 알기	쉬움	3점
7	②	읽기	내용 확인	글을 읽고 내용 파악하기	쉬움	3점
8	②	읽기	평가·감상	글의 주제 파악하기	보통	3점
9	②	문법	발음·표기·규범	상황에 알맞은 관용 표현 알기	보통	3점
10	②	어휘	의미	고유어의 의미 파악하기	어려움	4점
11	⑤	읽기	평가·감상	글의 갈래를 알고 보완할 점 파악하기	보통	3점
12	③	문법	문장·담화	문장 호응 알기	보통	3점
13	⑤	읽기	평가·감상	광고를 비판적으로 살펴보기	어려움	3점
14	①	읽기	내용 확인	글을 읽고 내용을 이해하기	보통	3점
15	④	읽기	추론	글을 읽고 내용을 짐작하기	어려움	4점
16	③	읽기	추론	글을 읽고 알 수 있는 내용을 짐작하기	보통	3점
17	④	읽기	평가·감상	글쓴이의 생각에 대한 자신의 생각을 말하기	보통	3점
18	③	읽기	추론	글을 읽을 때 도움이 되는 배경지식 알기	보통	3점
19	⑤	읽기	추론	글에 생략된 문장 짐작하기	어려움	4점
20	④	문학	지식	시의 내용 파악하기	어려움	4점
21	①	문학	지식	시의 글감이 되는 물건 추리하기	어려움	4점
22	③	문학	수용과 생산	이야기의 교훈 파악하기	보통	3점
23	④	문학	수용과 생산	시조의 내용 파악하기	어려움	4점
24	⑤	문학	수용과 생산	인물의 말을 짐작하기	보통	3점
25	③	문학	지식	이야기의 내용 파악하기	쉬움	3점

26	④	어휘	관계	포함하는 낱말과 포함되는 낱말을 알기	보통	3점
27	⑤	어휘	개념	동형어의 뜻 파악하기	어려움	4점
28	⑤	쓰기	내용 생성	비유하는 두 대상 사이의 공통점 알기	보통	3점
29	①	쓰기	내용 조직	글을 쓰기 위해 알맞게 계획하기	어려움	4점
30	③	쓰기	표현·고쳐쓰기	글의 내용에 알맞은 자료 파악하기	어려움	3점

풀이

1 벌금이 무서워서 아예 책을 빌리지 않는 학생들이 생길 수 있다는 것이 근거로 알맞습니다.

2 핀란드나 덴마크 사람들은 스스로 행복하다고 느끼는 정도가 높다는 것을 알 수 있습니다.

3 ① 경제력 순위와 행복 지수 순위가 비례하지 않는다고 하였습니다.
② 사회적 지위를 얻기 위해 치열한 경쟁을 하다 보면 불행하다고 느끼는 경우가 많다고 했습니다.
③ 독서가 행복 지수를 높여 준다고 했습니다.
④ 자연에서 하는 여러 활동을 통해 행복을 찾는다고 했습니다.
⑤ 친구나 이웃을 직접 만나는 활동을 통해 행복 지수는 높아질 수 있습니다.

4 여자는 급한 마음에 신발도 신지 않고 맨발로 뛰어나가고 있습니다.

5 접두사 '들–'은 '야생으로 자라는.'의 뜻을 더합니다. 그리고 접미사 '–개'는 '그러한 행위를 하는 간단한 도구.'의 뜻을 더합니다.

6 서우와 채은이는 민준이 엄마께서 모둠 수행 평가 주제를 정하는 것이 아니라 다른 타당한 방법으로 모둠 수행 평가 주제를 정하는 것에 대한 의견을 제시해야 합니다.

7 현지 주민의 종교와 생활 방식을 존중하고 예의를 갖추며 현지 주민과 사진을 찍고 싶을 때는 허락을 구해야 합니다.

8 ④ 공정 여행에서는 과도한 쇼핑을 하지 않고 공정 무역 제품을 이용하며 물건의 가격을 지나치게 깎지 않는 것과 같이 윤리적으로 소비하는 여행을 합니다.
⑤ 공정 여행은 현지 인사말, 노래, 춤 등을 배우는 것과 같이 현지 주민들과 친구가 되는 여행을 하는 것입니다.

9 ① 손에 익다: 일이 손에 익숙해지다.
② 시치미 떼다: 자기가 하고도 하지 아니한 체하거나 알고 있으면서도 모르는 체하다.
③ 무릎을 꿇다: 항복하거나 굴복하다.

평가 개념과 도움말

5 파생어는 어근과 접사의 결합으로 이루어진 낱말입니다. 어근의 앞에 붙는 접사는 접두사, 어근의 뒤에 붙는 접사는 접미사라고 합니다.

9 관용 표현은 둘 이상의 낱말이 합쳐져 그 낱말의 원래 뜻과는 다른 새로운 뜻으로 굳어져 쓰이는 표현입니다. 관용 표현에는 관용어나 속담 따위가 있습니다.

④ 우물에 가 숭늉 찾는다: 모든 일에는 질서와 차례가 있는 법인데 일의 순서도 모르고 성급하게 덤빈다.

⑤ 소 잃고 외양간 고친다: 일이 이미 잘못된 뒤에는 손을 써도 소용이 없다.

10 '꼼수'는 '쩨쩨한 수단이나 방법.'이라는 뜻입니다.

11 문제의 글은 기행문입니다. 문제의 글에서는 제주도에서 간 장소만 간단하게 나타나 있고 거기에서 무엇을 보고 들었는지와 생각이나 느낌이 자세하게 나타나 있지 않으므로 이를 보완해서 고쳐 쓰는 것이 좋습니다.

12 '그다지'는 '않다', '못하다' 따위의 부정어와 호응합니다. 그러므로 ㉢은 "비록 시간은 많이 걸렸지만, 책에서만 보던 곳을 직접 간다는 기쁨에 그다지 힘들지 않았습니다(힘든 줄도 몰랐습니다)."와 같이 고쳐 쓰는 것이 알맞습니다.

13 ㉺에서는 '모든 감염병을 예방'이라고 과장되게 표현한 것이지, 어떤 감염병을 예방할 수 있는지 자세한 정보를 감추고 있는 것은 아닙니다.

14 창경궁은 세종 때에 지은 궁궐입니다.

15 ① "왕비가 생활하던 통명전"이라는 말에서 왕과 왕비가 생활하던 공간이 달랐다는 것을 알 수 있습니다.
② 창경궁은 창건 이래 임진왜란이나 일제 강점기 등을 겪으면서 그 모습이 여러 차례 바뀌었습니다.
③ "효자로 유명한 정조"라는 말에서 정조가 효도를 행했음을 추론할 수 있습니다.
⑤ 창경원을 창경궁으로 복원시킨 것은 일제 강점기의 잔재를 없애려는 노력이었습니다.

16 ① "융은 한국에서 새로 입양된 여동생과 자신이 닮았다는 말을 듣기 싫어하며"라는 부분에서 융이 한국에서 새로 입양된 여동생을 싫어하였다는 것을 추론할 수 있습니다.
② 융이 6.25 전쟁으로 부모를 잃은 아이였다는 것을 추론할 수 있는 내용은 나오지 않습니다.
④ 「국가 대표」는 해외 입양아에 대한 영화라는 것을 추론할 수 있습니다.
⑤ 융이 입양될 당시에 벨기에에 한국인 입양아가 많았다는 것을 추론할 수 있는 내용은 나오지 않습니다.

17 글의 마지막 문단에 글쓴이의 생각이 잘 나타나 있습니다.

18 이 글은 철새에 대한 글이므로 철새를 직접 보았던 경험이나 철새에 대한 글을 읽은 것이 배경지식이 될 수 있습니다.

19 철새가 여행을 하는 까닭은 더위나 추위를 피하여 먹이를 구하고 새끼를 치기 위해서라는 것을 알 수 있습니다.

11 기행문은 여행하면서 보고 듣고 느끼고 겪은 것을 자유로운 형식으로 쓴 글입니다. 기행문에는 여행의 과정이 드러나는 여정, 보고 듣고 경험한 내용인 견문, 생각이나 느낌인 감상이 들어가야 합니다.

13 광고는 과장하거나 감추는 내용이 무엇인지 살피며 비판적으로 보아야 합니다. '무조건', '절대로', '최고', '100퍼센트' 같은 표현은 과장된 표현으로 소비자의 판단력을 흐립니다.

15 이미 아는 정보를 근거로 삼아 다른 판단을 이끌어 내는 것을 추론이라고 합니다. 단서란 어떤 일이나 사건이 일어난 까닭을 풀 수 있는 실마리를 말합니다. 글을 읽고 내용을 추론할 때에는 글에서 찾을 수 있는 단서를 확인해야 합니다.

18 배경지식은 어떤 글을 읽고 이해하는 데 바탕이 되는 경험과 지식을 말합니다.

20 도둑은 방문 밖에서 임금이 말하는 주문을 들었으므로 '이것'을 멈추게 하는 주문을 알고 있었습니다.

21 옛이야기인 「신기한 맷돌」의 내용을 시로 구성한 것입니다. 이야기의 내용을 배경지식으로 알고 있거나 "빙글빙글 돌리면서"라는 말에서 맷돌을 추론할 수 있습니다.

22 아버지와 아이는 다른 사람이 말할 때마다 그것이 적절한지 그렇지 않은지 판단하지도 않고 그대로 따랐습니다.

23 정몽주의 「단심가」에 나타난 표현인 "일편단심"에는 변함없이 고려에 충성을 다하겠다는 정몽주의 생각이 잘 담겨 있습니다. 정몽주의 시조를 들은 이방원은 정몽주를 설득할 가능성이 없다고 생각하고 신하를 시켜 정몽주를 선죽교에서 살해하였습니다.

24 늙고 병이 들어 사냥을 할 수 없게 된 사자가 낸 꾀는 문병을 하러 동굴에 들어온 동물들을 잡아먹는 것이었습니다. 그런데 여우가 이런 사자의 꾀를 알아챈 것입니다.

25 연극의 역할을 정하는 날에서 연극을 공연하는 날로 시간적 배경의 변화가 나타납니다.

26 '나무 – 식물', '피아노 – 악기', '공책 – 학용품', '사과 – 과일'에서 왼쪽의 낱말이 오른쪽의 낱말에 포함됩니다. '책방'과 '서점'은 뜻이 비슷한 낱말입니다.

27 주어진 문장과 보기 ⑤에서 쓴 '들다'에는 '밖에서 속이나 안으로 향해 가거나 오거나 하다.'라는 뜻이 있습니다.
① 칼이 잘 드니 → 날이 날카로워 물건이 잘 베어지다.
② 가방을 드니 → 손에 가지다.
③ 고개를 드니 → 아래에 있는 것을 위로 올리다.
④ 비가 그치고 날이 드니 → 비나 눈이 그치고 날이 좋아지다.

28 ① 일기장: 예 속마음을 털어놓을 수 있다.
② 흥부: 예 착하다.
③ 바다: 예 마음이 깊고 넓다.
④ 비타민: 예 나에게 힘을 준다.

29 글의 주제와 목적을 살펴보면 예상 독자는 미세 먼지를 연구하는 연구원이 아니라 일반 사람이 알맞습니다.

30 '미세 먼지 대처 방법 2: 마스크 쓰기'에서는 미세 먼지를 차단하는 데 마스크 착용이 효과적이라는 내용의 자료를 제시하는 것이 알맞습니다.

21 ① **맷돌**: 둥글넓적한 돌 두 짝을 포개고 윗돌 아가리에 갈 곡식을 넣으면서 손잡이를 돌려서 가는 기구.
④ **인두**: 바느질할 때 불에 달구어 천의 구김살을 눌러 펴는 데 쓰는 기구.
⑤ **물레방아**: 떨어지는 물의 힘으로 바퀴를 돌려 곡식을 찧거나 빻는 기구.

23 시조는 일정한 형식과 규칙에 맞추어 지은 우리나라 고유의 시입니다. 고려 시대에 처음 생겨 오늘날까지 쓰여지고 있습니다.

25 시간적 배경은 이야기에서 사건이 일어나는 때를 말합니다. 시간을 나타내는 말로 직접 표현되기도 하고 사건의 흐름에서 간접적으로 나타나기도 합니다.

26 어떤 낱말의 뜻이 다른 낱말의 뜻을 포함하는 관계를 낱말의 상하 관계라고 합니다. 이때 다른 낱말을 포함하는 낱말을 상의어라고 하고, 다른 낱말에 포함되는 낱말을 하의어라고 합니다.

28 비유적 표현은 어떤 현상이나 사물을 비슷한 현상이나 사물에 빗대어 표현하는 것입니다.

실전 모의고사 3회

문항 번호	정답	대영역	중영역	평가 내용	난이도	배점
1	④	듣기 · 말하기	사실	대화의 상황 파악하기	쉬움	3점
2	②	듣기 · 말하기	추론	대화 내용에 알맞은 관용 표현 알기	보통	3점
3	①	듣기 · 말하기	비판 · 감상	연설문의 내용 파악하기	보통	3점
4	④	어휘	개념	동형어의 뜻을 알기	어려움	4점
5	①	읽기	평가 · 감상	글쓴이의 주장 파악하기	보통	3점
6	⑤	문법	발음 · 표기 · 규범	띄어쓰기 규칙 알기	어려움	4점
7	⑤	읽기	내용 확인	공익 광고의 내용을 바르게 파악하기	보통	3점
8	②	읽기	내용 확인	글의 내용 알기	쉬움	3점
9	⑤	문법	발음 · 표기 · 규범	낱말의 뜻에 알맞게 표기하는 규칙 알기	어려움	4점
10	④	읽기	평가 · 감상	이야기의 교훈 찾기	보통	3점
11	①	문법	문장 · 담화	담화 내용의 의미 파악하기	보통	3점
12	③	읽기	추론	문장의 의미를 짐작하기	어려움	3점
13	②	읽기	추론	글쓴이의 생각을 파악하기	보통	4점
14	⑤	어휘	의미	표준어와 방언 알기	보통	3점
15	⑤	읽기	내용 확인	글의 내용 이해하기	보통	3점
16	⑤	읽기	평가 · 감상	글쓴이의 생각 파악하기	보통	4점
17	①	읽기	추론	뉴스의 내용을 자막으로 표현하기	보통	3점
18	①	읽기	평가 · 감상	뉴스의 타당성을 판단하기	어려움	3점
19	①	문학	수용과 생산	인물의 성격 파악하기	쉬움	3점
20	⑤	문학	지식	이야기의 내용 알기	보통	3점
21	④	어휘	확장	파생어와 합성어를 구별하기	어려움	4점
22	③	문학	수용과 생산	인물의 마음을 파악하기	쉬움	3점
23	①	문학	수용과 생산	이야기의 내용 알기	보통	3점
24	③	어휘	관계	다의어의 뜻을 파악하기	어려움	4점
25	④	읽기	추론	이야기의 내용 파악하기	어려움	4점

26	⑤	문학	수용과 생산	시에서 가리키는 대상 알기	보통	3점
27	①	문학	지식	시의 내용 파악하기	어려움	3점
28	⑤	쓰기	내용 생성	대상을 다른 대상에 알맞게 비유하기	어려움	3점
29	④	쓰기	내용 조직	논설문을 쓰기 위해 알맞게 계획하기	어려움	4점
30	②	쓰기	표현·고쳐쓰기	내용에 알맞게 표현하기	어려움	4점

풀이

1 선생님은 재민이에게 친구들의 의견을 전한 후에 재민이에게 제비 역할을 할지에 대하여 물어보았습니다.

2 재민이는 친구들의 추천을 받아들여 제비 역할을 하겠다는 뜻을 밝히고 있습니다. 그러므로 제비 역할을 맡아 마음의 부담이 크다는 뜻의 관용 표현을 활용하는 것이 알맞습니다.

3 김천재의 공약을 지지하는 학생들이 많다는 것을 추론할 수는 없습니다.

4 동형어의 뜻을 파악하는 문제입니다. '돈을 쓰는', '시간을 많이 써서'에서 사용한 '쓰다'는 '어떤 일을 하는 데 시간이나 돈을 들이다.'라는 뜻입니다.
　① 일기를 <u>썼다</u> → 머릿속의 생각을 종이 혹은 이와 유사한 대상 따위에 글로 나타내다.
　② 말을 잘 <u>써야</u> → 장기나 윷놀이 따위에서 말을 규정대로 옮겨 놓다.
　③ 좋은 약은 입에 <u>쓰니</u> → 혀로 느끼는 맛이 한약이나 소태, 씀바귀의 맛과 같다.
　⑤ 마스크를 <u>쓰는</u> → 얼굴에 어떤 물건을 걸거나 덮어쓰다.

5 교통 약자석을 비워 두자는 주장을 하고 있습니다.

6 ① 듣는 사람에게 문장의 내용을 강조함을 나타내는 보조사인 '그래'는 종결 어미 뒤에 붙여 씁니다.
　② '자루'와 같이 단위를 나타내는 명사는 띄어 씁니다.
　③, ⑤ '만큼', '지'와 같은 의존 명사는 띄어 씁니다.
　④ '내지'와 같이 두 말을 이어 주거나 열거할 때 쓰는 말은 띄어 씁니다.

7 '또 하나의 백신'은 손을 깨끗이 씻는 것을 뜻합니다. 그리고 손만 깨끗이 씻어도 70퍼센트의 전염병이 예방된다고 하였습니다.

8 지효는 신우의 편지를 받고 기분이 좋고 감동받았을 것입니다.

9 '못'은 주로 동사 앞에 쓰여 동사가 나타내는 동작을 할 수 없다거나 상태가 이루어지지 않았다는 부정의 뜻을 나타내는 말입니다. 이때에 '못'은 뒤에 나오는 동사와 띄어 씁니다. 그런데 '못하다'와 같이 하나의 낱말로 쓰일 경우에는 보기 ②~④의 뜻을 갖고, '못해도'의 꼴로 쓰이면 ①의 뜻을 나타냅니다.

평가 개념과 도움말

2 ① **손발이 맞다**: 함께 일을 하는 데에 마음이나 의견, 행동 방식 따위가 서로 맞다.
　② **어깨가 무겁다**: 무거운 책임을 져서 마음에 부담이 크다.
　③ **어깨를 견주다**: 서로 비슷한 지위나 힘을 가지다.
　④ **어깨에 힘 주다**: 거만한 태도를 취하다.
　⑤ **머리에 서리가 앉다**: 머리가 희끗희끗하게 세다. 또는 늙다.

3 연설문은 여러 사람 앞에서 자기 주장이나 의견을 이야기하려고 쓰는 글입니다. 연설은 다른 사람을 설득하기 위한 목적으로 하는 것입니다. 그러므로 연설을 듣는 사람은 주장이 타당한지, 근거가 적절한지 생각하며 들어야 합니다.

8 마음을 나누는 글에는 일어난 사건, 나누려는 마음, 일어난 사건에 대한 생각이나 느낌을 표현합니다. 마음을 나누는 글은 읽을 사람을 생각해서 표현하는 것이 중요합니다.

10 이야기에서 항아리는 '정해진 틀'을 의미하는데 다른 아이들은 이 정해진 틀 안에서 문제를 해결하려고 해서 항아리에 빠진 아이를 구하지 못하였습니다. 그렇지만 사마광은 '정해진 틀'인 항아리를 깨뜨려서 항아리에 빠진 아이를 구할 수 있었습니다.

11 ② 친구 2가 친구 1에게 고마움을 표현하였으므로 도움을 받아들인다는 뜻이 담겨 있습니다.
　③ 친구 2가 친구 1의 마음이 고마워서 한 말입니다.
　④ 봉사 활동에 참여하는 사람에 대한 사실을 알려 주는 말입니다.
　⑤ 봉사 활동에 갈 사람이 친구 3뿐이라는 뜻입니다.

11 문장을 제대로 사용하고 이해하기 위해서는 문장 그 자체를 이해하는 것도 중요하지만 문장과 관련된 여러 상황을 이해하는 것이 중요합니다.

12 '1고수 2명창'은 고수가 첫 번째이고 소리꾼이 두 번째라는 뜻으로, 좋은 고수를 만나야 훌륭한 소리꾼이 된다는 뜻입니다. 알맞은 곳에서 고수의 북장단과 추임새가 있어야 소리꾼의 소리가 빛난다는 뜻으로, 판소리에서 고수의 중요성을 강조한 말입니다.

13 방언의 가치에 대해 알려 주면서 방언을 저급하게 여겨서 사라지게 하지 말고 소중히 보존해야 한다는 뜻을 전하고 있습니다.

13 방언은 어떤 지역이나 지방에서 쓰는, 표준어가 아닌 말을 뜻합니다.

14 '자장면'과 '짜장면'은 복수 표준어입니다. 우리말이 된소리로 되는 것을 막기 위해 '자장면'만 표준어로 삼았다가 2011년에 '짜장면'도 표준어로 인정하였습니다.

14 같은 뜻을 가진 둘 이상의 낱말을 모두 표준어로 삼는 것을 복수 표준어라고 합니다.

15 가마솥 바닥의 두께가 다른 것은 열을 골고루 전달하기 위한 것입니다.

16 조상들이 사용하던 물건에 담긴 지혜를 현대 과학에 응용할 수 있다는 글쓴이의 생각을 알 수 있습니다.

17 문제에 주어진 뉴스에서는 여러 유형의 스마트 기부가 늘어난다는 내용을 알려 주고 있으므로 이러한 내용을 자막으로 보여 주는 것이 알맞습니다.

17 텔레비전 뉴스의 진행자의 도입 부분에서 뉴스의 제목이나 주요 내용을 짧게 요약하여 시청자가 읽을 수 있도록 자막으로 보여 줍니다. 이런 자막은 시청자가 뉴스 내용에서 중요한 내용이 무엇인지 파악하는 데 도움을 줍니다.

18 이 뉴스 원고에서 통계 자료는 나타나지 않습니다.
뉴스에 나타난 관점을 찾을 때에는 제목에서 강조하는 내용을 주의 깊게 살펴봅니다. 그리고 어떤 느낌의 표현을 주로 사용하였는지와 주로 어떤 사람의 의견을 취재하였는지 등을 살펴봅니다.

19 박 서방의 성격은 "부지런히 일해서"와 같이 직접 드러나고, 김 영감이 훔쳐 간 돈을 꾀를 내어 되찾은 것에서 지혜롭다는 것을 알 수 있습니다. 김 영감은 박 서방의 돈을 훔쳐 간 것에서 알 수 있듯이 음흉하고, 박 서방의 돈 천 냥을 더 훔치려는 것에서 욕심이 많고 어리석다는 것을 알 수 있습니다.

19 이야기에서 인물의 성격은 인물의 말이나 행동을 바탕으로 파악할 수 있습니다. 그리고 이야기의 내용에 성격을 나타내는 말이 직접 드러나기도 합니다.

20 김 영감은 박 서방의 돈 천 냥을 더 훔치려다가 이미 훔쳤던 돈 오백 냥까지 박 서방이 되찾게 되자 후회가 되며 몹시 분하고 애통하였을 것입니다.

정답과 풀이

21 파생어와 합성어를 구별할 수 있는지 묻는 문제입니다.

22 아들 1은 스님에게 들킨 자신의 정체가 들킨 것을 알자 당황스럽고, 고양이가 달려들었을 때에는 무서웠을 것입니다.

23 나그네는 노인을 산에서 처음 보았지만 쓰러진 노인을 두고 가면 죽을지도 모른다고 생각해서 노인을 업고 산을 내려갔습니다.

24 다의어의 뜻을 파악하는 문제입니다.

25 ① 연나라는 당시 흉년이 들고 제나라와 전쟁 중이며, 조나라가 연나라를 침략하려는 계획을 세우고 있었습니다. 이런 상황에서 연나라의 왕은 소대를 조나라의 왕에게 보내어 설득하고 전쟁을 피하려고 하였습니다.

② 소대는 이야기에서 연나라는 조개, 조나라는 황새, 진나라는 어부에 비유하여 표현하였습니다. 그래서 조나라가 연나라를 침략하려는 상황을 황새가 날아와 조개의 살을 쪼는 것으로 표현하였습니다.

③ 조나라가 쳐들어오면 연나라와 조나라가 싸울 수밖에 없는 상황을 황새가 조개의 살을 쪼자 조개가 입을 다물어 황새의 주둥이를 무는 것으로 표현하였습니다.

④ 진나라가 연나라와 조나라를 모두 정복할 수 있는 상황을 어부가 조개와 황새를 모두 잡는 것으로 표현하였습니다.

⑤ 조나라의 왕이 연나라를 쳐들어가려는 계획을 포기한 까닭은 조나라와 연나라가 싸우다가 이웃의 크고 강한 진나라에게 점령당할 수 있다고 생각하였기 때문입니다.

26 시의 제목이 '진달래꽃'입니다.

27 이별에 대한 체념과 진달래꽃을 뿌리는 것에서 겉으로는 떠나는 사람에 대한 축복을 나타내지만 속으로는 떠나는 사람에게 가지 말라는 뜻이 담겨 있습니다.

28 단풍잎을 보통 '아기 손바닥'에 비유합니다.

29 음식물 쓰레기 처리 비용으로 매년 수십 조 원이 쓰이고 처리하는 과정에서 온실가스 배출량이 많아집니다. 온실가스가 지구 대기를 오염시켜 온실 효과를 일으키는 가스라는 사실을 안다면 근거 2를 "음식물 쓰레기는 온실가스 배출량을 늘어나게 한다."라고 해야 알맞다는 것을 알 수 있습니다.

30 ① 사유 재산을 중시한 신분제 사회: "노비로 삼는다."라는 말에서 신분제 사회였다는 것을 추론할 수 있습니다.

③ 눈에는 눈 이에는 이: 해를 입은 만큼 앙갚음한다는 뜻의 속담입니다. 함무라비 법전의 법 조항을 보면 잘못을 하면 그만큼의 벌을 받아야 한다는 생각이 담겨 있습니다.

④ 사회 규모가 훨씬 컸기: 뒤에 나오는 문장으로 내용을 추론할 수 있습니다.

⑤ 법 조항이 늘어나는: 고조선보다 바빌로니아의 법 조항이 많다는 것에서 추론할 수 있습니다.

21 ① **풋고추**: 풋- + 고추
② **가위질**: 가위 + -질
③ **한낮**: 한- + 낮
④ **손등**: 손(사람의 팔목 끝에 달린 부분) + 등(물체의 위쪽이나 바깥쪽에 볼록하게 내민 부분)
⑤ **헛걸음**: 헛- + 걸음

24 ① 주위에 잘 알려져서 얻은 평판이나 명예. 또는 체면.
② 눈, 코, 입이 있는 머리의 앞면.
③ 어떤 심리 상태가 나타난 형색.
④ 어떤 분야에 활동하는 사람.
⑤ 어떤 사물의 진면목을 단적으로 보여 주는 대표적 표상.

25 문제의 지문과 같은 이야기에서 고사성어 '어부지리(漁夫之利)'가 생겼습니다. '어부지리'는 '두 사람이 이해관계로 서로 싸우는 사이에 엉뚱한 사람이 애쓰지 않고 가로챈 이익.'을 뜻하는 말입니다.

30 문장에서 생략된 내용을 파악할 때에는 앞뒤의 내용을 바탕으로 비어 있는 부분에 들어갈 내용을 생각해 봅니다.

실전 모의고사 4회

문항 번호	정답	대영역	중영역	평가 내용	난이도	배점
1	⑤	듣기·말하기	사실	강연 내용 알기	보통	3점
2	⑤	듣기·말하기	추론	면담 내용 알기	보통	3점
3	②	듣기·말하기	비판·감상	면담 대상자의 생각 파악하기	어려움	4점
4	④	듣기·말하기	비판·감상	토의 내용 알기	보통	3점
5	③	읽기	내용 확인	글의 짜임 파악하기	어려움	4점
6	④	읽기	평가·감상	글의 내용을 바탕으로 바른 행동 짐작하기	쉬움	3점
7	⑤	읽기	추론	글을 읽고 알맞게 추론하기	어려움	4점
8	②	어휘	확장	낱말의 결합 순서 알기	어려움	4점
9	④	읽기	평가·감상	글과 자료를 보고 내용 파악하기	보통	3점
10	①	문법	한글 체계	한글의 우수성 알기	보통	3점
11	⑤	문법	문장·담화	대화 상황 파악하기	보통	3점
12	⑤	읽기	내용 확인	편지글의 내용 알기	쉬움	3점
13	④	어휘	개념	고유어의 뜻 파악하기	보통	3점
14	⑤	읽기	추론	글의 내용 이해하기	어려움	4점
15	③	어휘	의미	동형어의 뜻 파악하기	보통	3점
16	①	읽기	추론	글을 읽고 내용을 추론하기	보통	3점
17	③	읽기	추론	글을 읽고 생각을 알맞게 말하기	보통	3점
18	③	읽기	평가·감상	글의 내용 요약하기	어려움	4점
19	⑤	읽기	내용 확인	글을 읽을 때 필요한 배경지식 알기	보통	3점
20	③	읽기	추론	이야기의 시대적 배경 파악하기	보통	3점
21	④	어휘	확장	색채어의 활용 알기	어려움	4점
22	①	문학	수용과 생산	이야기의 내용 파악하기	쉬움	3점
23	⑤	문학	수용과 생산	이야기에서 인물의 행동 짐작하기	어려움	4점
24	①	문학	지식	글의 내용 알기	어려움	3점
25	⑤	문학	수용과 생산	글쓴이의 생각 파악하기	보통	3점

26	②	문학	지식	시의 내용 알기	쉬움	3점
27	①	문법	발음·표기·규범	낱말의 알맞은 발음 알기	보통	3점
28	④	쓰기	내용 생성	글을 쓰기 위해 알맞게 계획하기	어려움	3점
29	④	쓰기	내용 조직	글쓰기 자료의 활용 방안 알기	어려움	4점
30	④	쓰기	표현·고쳐쓰기	글에서 보완할 점 파악하기	어려움	4점

풀이

1 우리나라는 "한국은 독도에 대해 처음부터 영유권을 갖고 있으며 어떠한 국제 법정에서도 그 영유권 증명을 구해야 할 하등의 이유가 없다."라고 하였습니다. 독도는 당연히 한국의 땅인데 일본이 가짜 영토 분쟁을 꾸미고 있다는 뜻입니다.

2 ① "그 당시에 농사짓는 것이 매우 중요했다는 것"이라는 말에서 고조선이 세워질 당시에는 농경 사회였다는 것을 알 수 있습니다.
② "건국 신화에 나오는 시조가 하늘에서 내려온 사람"이라는 말에서 건국 신화에 나오는 시조가 특별하게 탄생한다는 것을 알 수 있습니다.
③ "역사적 사실에 상상력을 더해"라는 말에서 건국 신화는 사실에 바탕을 둔 이야기라는 것을 알 수 있습니다.
④ "환웅의 부족과 곰 부족이 힘을 합해"라는 말에서 고조선이 세워질 당시 곰을 숭배하는 부족이 큰 역할을 하였다는 것을 알 수 있습니다.

3 역사 선생님은 건국 신화가 당시 사회의 생각과 풍습을 알 수 있는 역사적 자료라고 생각합니다.

4 학년은 6개 학년이고 등교하는 요일은 5일이므로 학생 1의 의견을 따랐을 경우 한 학년은 일주일에 한 번도 운동장을 사용하지 못하거나 하루에 2개 학년이 같이 운동장을 사용해야 한다는 문제점이 생깁니다.

5 착한 소비를 하는 여러 가지 방법에 대해 소개하였습니다.

6 에너지 효율이 높은 제품은 같은 일을 하기 위해 필요한 에너지의 양이 적습니다. 에너지 효율이 높은 제품을 쓰면 에너지를 절약하고 자연환경을 보호할 수 있습니다. 에너지 효율을 표시하기 위한 에너지 소비 효율 등급 표시 제도가 있습니다. 전자 제품마다 제품의 에너지 소비 효율을 1~5등급으로 구분하여 표시하고 있습니다. 에너지 소비 효율 등급의 숫자가 작을수록 에너지 효율이 더 높은 제품입니다.

7 토지 조사 사업 이후 일본의 식민 지배가 강화되었습니다. 그리고 토지 조사 사업으로 일본인들의 한국 진출이 쉽게 되었습니다.

평가 개념과 도움말

2 건국 신화는 나라가 어떻게 세워졌는지에 대한 이야기로, 면담에 소개된 단군 신화와 같은 것이 있습니다.

8 의미상 ①, ③, ④, ⑤는 '긍정+부정' 결합이고, ②는 '가까움+멂' 결합입니다.

9 ④번과 같은 내용은 글과 자료를 보고 파악할 수 없습니다.

10 한글은 소리가 같더라도 뜻이 다른 경우가 있습니다.

11 ㈐의 ㉣에는 오랫동안 비가 오지 않았는데 비가 와서 다행이라는 뜻이 담겨 있습니다.

12 아침에 지각을 하고 선생님께 꾸지람을 들은 후에 샛별이는 기분이 좋지 않았습니다. 그런데 가온이는 이런 샛별이를 배려하여 점심시간에 샛별이에게 치킨을 준다고 했고 수업이 끝난 후에는 같이 시간을 보냈습니다. 샛별이는 이런 가온이에게 고마운 마음을 표현하려고 편지를 썼습니다.

13 '도리깨침'은 '너무 먹고 싶거나 탐이 나서 저절로 삼켜지는 침.'을 뜻합니다.

14 글 ㈎에는 책을 집중해서 읽되 부모님이 부르실 때, 손님이 오셨을 때, 식사 때에는 중단해야 한다는 내용이 나옵니다. 글 ㈐에는 책의 뜻을 분명히 알고 넘어갈 수 있도록 여러 책을 두루 보는 등의 노력을 해야 한다는 내용이 나옵니다.

15 동형어의 뜻을 파악하는 문제입니다.
① 자두나무의 열매. 자두.
② 앉거나 누울 수 있도록 바닥에 까는 물건.
③ 사람이나 물체가 차지하고 있는 공간.
④ 잠을 자기 위해 사용하는 이부자리나 침대보 따위를 통틀어 이르는 말.
⑤ 바다에서 물고기 떼가 지나다니는 길목에 쳐 놓아 고기를 잡는 데 쓰는 그물.

16 신조어나 줄임 말의 생명력이 강하다는 내용은 나오지 않습니다. 언어에는 생명력이 있어서 새로운 말이 생겨나기도 하고 사용하던 말이 없어지기도 합니다.

17 신조어나 줄임 말의 긍정적인 면이 있기는 하지만 사용할 때 오해가 생기기도 하고 우리말이 파괴되고 오염되기도 합니다. 그러므로 초등학생들에게 올바른 언어 사용에 대한 지도가 필요하다는 생각을 나타낼 수 있습니다.

18 우리나라의 발효 식품을 주재료에 따라 나누면 김치류, 젓갈류, 장류가 있다는 것이 주요 내용입니다.

19 우리나라의 발효 식품의 종류에 대한 배경지식이 있다면 글의 이해가 더 쉬울 것입니다.

20 홍길동의 가정 환경을 보면 신분 제도가 있어서 차별을 받았다는 것을 알 수 있습니다. 그리고 탐관오리(백성의 재물을 탐내어 빼앗는, 행실이 깨끗하지 못한 관리)들이 많아서 백성이 어렵게 살았다는 것을 알 수 있습니다.

8 ① **찬반**: 찬성과 반대를 아울러 이르는 말.
② **여기저기**: 여러 장소를 통틀어 이르는 말. '여기'는 말하는 이에게 가까운 곳을, '저기'는 말하는 이나 듣는 이로부터 멀리 있는 곳을 가리킴.
③ **승패**: 승리와 패배를 아울러 이르는 말.
④ **상벌**: 상과 벌을 아울러 이르는 말
⑤ **선악**: 착한 것과 악한 것을 아울러 이르는 말.

13 ① 공연히 입 안에 도는 침.
– 군침
② 갑자기 숨소리를 터뜨려 내는 일. – 기침
③ 잘 끊어지지 아니하고 길게 흘러내리는 침. – 느침
⑤ 애가 타거나 긴장하였을 때 입 안이 말라 무의식중에 힘들게 삼키는 아주 적은 양의 침. – 마른침

16 신조어는 새로 생긴 말이고, 줄임 말은 어떠한 말을 줄여서 쓰는 것을 뜻합니다. '생일 선물'을 '생선'과 같이 쓰는 것이 줄임 말의 예입니다.

21 "하늘이 노래지다"는 '갑자기 기력이 다하거나 큰 충격을 받아 정신이 아찔하게 되다.'라는 뜻입니다.

22 이야기에서 '나'는 개이고, '녀석'은 어린아이입니다. 어린아이가 '나'를 끌고 낯선 골목에 가자 '나'는 버려질까 봐 두려워하고 있습니다.

② "내게서 도망치듯 멀어지는 누나"라는 말에서 '내'가 한 번 버려진 적이 있다는 것을 알 수 있습니다.

③ "녀석이 낯선 골목으로 방향을 틀었을 때 온몸의 털이 삐죽 서는 기분이 들었어."라는 부분에서 '내'가 전에 낯선 장소에서 버려진 기억이 있어서 또다시 버려질까 봐 두려워한다는 것을 알 수 있습니다.

④ "두 번째 가족을 만나고", "아기였던 녀석이 꼬마가 될 때까지"라는 말에서 '내'가 두 번째 집에서 아기가 꼬마가 될 때까지 있었다는 것을 알 수 있습니다.

⑤ "아기를 품에 안고", "이번 가족에게도 아기가 있었지만", "나는 한 번도 화를 낸 적이 없단 말이야." 부분에서 '나'를 키우던 누나에게 아기가 생기고 '내'가 그 아기에게 화를 내서 버려졌다는 것을 짐작할 수 있습니다.

23 돌 두 개에 모두 표시가 되어 있으므로 돌쇠가 먼저 돌을 고르고 먹쇠에게 보여 주면 하는 수 없이 돌쇠가 물을 떠 오게 되어 있습니다. 그러므로 돌쇠는 자기가 고른 돌을 먹쇠에게 보여 주지 않고 먹쇠의 돌을 먼저 보여 달라고 해야 물을 떠 오지 않게 됩니다.

24 신임 군수가 인사를 하려고 가난한 양반의 집을 찾아왔다는 것에서 가난한 양반이 고을에서 인정받고 있음을 알 수 있습니다.

25 가난한 양반은 경제적인 활동을 전혀 하지 않아서 집에 곡식이 떨어질 정도로 가난하였습니다. 그렇지만 가난한 양반은 양반의 체면을 중시하고 환곡을 빌려다가 먹는 일을 아무렇지 않게 생각하였습니다. 이런 양반의 모습을 통해 박지원은 당시 양반 계층의 무능함을 비판하고 있습니다.

26 말하는 이는 강변에서 살고 싶어 합니다.

27 '알약'은 [알략]으로 소리 납니다.

28 동물원을 없애야 한다는 주장에 대한 근거로는 동물원은 동물의 자유를 구속하고 동물에게 사람의 구경거리가 되는 고통을 준다는 것 등이 알맞습니다.

29 ㈐-2를 보면 동물원의 동물들이 관람객들에 의해 스트레스를 받아 부정적으로 변한다는 것을 알 수 있습니다.

30 동물원의 퓨마가 탈출했다가 사살된 예를 근거로 들어 동물원 폐지나 동물원 환경 개선에 대한 주장을 펼칠 수 있습니다.

21 우리말에서 빛깔을 나타내는 색채어는 파란색, 흰색, 빨간색, 검은색, 노란색의 다섯 가지 색에서 만들어집니다. 색채어는 사물의 빛깔뿐만 아니라 사람의 감정을 표현할 때에도 씁니다. 또 비유적 표현으로도 씁니다.

27 합성어나 파생어에서 앞 낱말이나 접두사의 끝이 자음이고 뒤 낱말이나 접미사의 첫음절이 '이, 야, 여, 요, 유'인 경우에는 'ㄴ' 음을 첨가하여 [니, 냐, 녀, 뇨, 뉴]로 발음합니다. 그리고 'ㄹ' 받침 뒤에 첨가되는 'ㄴ' 음은 [ㄹ]로 발음합니다.

立 身 揚 名

설 몸 날릴 이름

입 신 양 명

'호랑이는 죽어서 가죽을 남기고,
사람은 죽어서 이름을 남긴다.'는 속담을 알고 있나요?
착하고 훌륭한 일을 하면 그 사람의 이름이 후세에까지 빛난다는 뜻인데,
'입신양명'도 같은 의미로 사용되는 말이랍니다.
열심히 공부하는 여러분! '입신양명'을 응원합니다.

해당 콘텐츠는 천재교육 '똑똑한 하루 독해'를 참고하여 제작되었습니다.
모든 공부의 기초가 되는 어휘력+독해력을 키우고 싶을 땐,
똑똑한 하루 독해&어휘를 풀어보세요!

정답은
이안에
있어.!

논술·한자교재

- **YES 논술**   1~6학년/총 24권
- **천재 NEW 한자능력검정시험 자격증 한번에 따기**   8~5급(총 7권) / 4급~3급(총 2권)

영어교재

- **READ ME**
  - Yellow 1~3   2~4학년(총 3권)
  - Red 1~3   4~6학년(총 3권)

- **Listening Pop**   Level 1~3

- **Grammar, ZAP!**   Level 1~3
  - 입문   1, 2단계
  - 기본   1~4단계
  - 입문   1~4단계

- **Grammar Tab**   총 2권

- **Let's Go to the English World!**   Level 1~3
  - Conversation   1~5단계, 단계별 3권
  - Phonics   총 4권

예비중 대비교재

- **천재 신입생 시리즈**   수학 / 영어
- **천재 반편성 배치고사 기출 & 모의고사**

월간교재

- **NEW 해법수학**   1~6학년
- **월간 무등생평가**   1~6학년

배움으로 행복한 내일을 꿈꾸는
천재교육 커뮤니티 안내 ...

 교재 안내부터 구매까지 한 번에!
천재교육 홈페이지

천재교육 홈페이지에서는 자사가 발행하는 참고서,
교과서에 대한 소개는 물론 도서 구매도 할 수 있습니다.
회원에게 지급되는 별을 모아 다양한 상품 응모에도
도전해 보세요.

 구독, 좋아요는 필수! 핵유용 정보 가득한
천재교육 유튜브 <천재TV>

신간에 대한 자세한 정보가 궁금하세요?
참고서를 어떻게 활용해야 할지 고민인가요?
공부 외 다양한 고민을 해결해 줄 채널이 필요한가요?
학생들에게 꼭 필요한 콘텐츠로 가득한 천재TV로 놀러오세요!

 다양한 교육 꿀팁에 깜짝 이벤트는 덤!
천재교육 인스타그램

천재교육의 새롭고 중요한 소식을 가장 먼저 접하고 싶다면?
천재교육 인스타그램 팔로우가 필수!
누구보다 빠르고 재미있게 천재교육의 소식을 전달합니다.
깜짝 이벤트도 수시로 진행되니 놓치지 마세요!

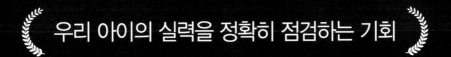
우리 아이의 실력을 정확히 점검하는 기회

40년의 역사
전국 초·중학생 213만 명의 선택

HME 학력평가
해법수학 · 해법국어

응시 학년	수학 ㅣ 초등 1학년 ~ 중학 3학년
	국어 ㅣ 초등 1학년 ~ 초등 6학년

응시 횟수	수학 ㅣ 연 2회 (6월 / 11월)
	국어 ㅣ 연 1회 (11월)

주최 **천재교육** ㅣ 주관 **한국학력평가 인증연구소** ㅣ 후원 **서울교육대학교**

*응시 날짜는 변동될 수 있으며, 더 자세한 내용은 HME 홈페이지에서 확인 바랍니다.

book.chunjae.co.kr

교재 내용 문의	··············	교재 홈페이지 ▶ 초등 ▶ 교재상담
교재 내용 외 문의	··············	교재 홈페이지 ▶ 고객센터 ▶ 1:1문의
발간 후 발견되는 오류	··············	교재 홈페이지 ▶ 초등 ▶ 학습지원 ▶ 학습자료실

63710

ISBN 979-11-259-6314-1

어린이제품
안전 특별법에
의한 품질 표시

정가 10,000원

My name~

	초등학교
학년 반 번	
이름	